les robots de l'aube
2

ISAAC ASIMOV | ŒUVRES

FONDATION	
SECONDE FONDATION	
FONDATION ET EMPIRE	
LES CAVERNES D'ACIER	*J'ai Lu* 404***
FACE AUX FEUX DU SOLEIL	*J'ai Lu* 468**
LES ROBOTS	*J'ai Lu* 453***
UN DÉFILÉ DE ROBOTS	*J'ai Lu* 542***
LES COURANTS DE L'ESPACE	
UNE BOUFFÉE DE MORT	
CAILLOUX DANS LE CIEL	*J'ai Lu* 552***
LA FIN DE L'ÉTERNITÉ	
HISTOIRES MYSTÉRIEUSES	
QUAND LES TÉNÈBRES VIENDRONT	
L'AMOUR, VOUS CONNAISSEZ ?	
LES DIEUX EUX-MÊMES	
LA MÈRE DES MONDES	
CHRONO-MINETS	
NOËL SUR GANYMÈDE	
DANGEREUSES CALLISTO	
TYRANN	*J'ai Lu* 484***
LA VOIE MARTIENNE	*J'ai Lu* 870***
L'AVENIR COMMENCE DEMAIN	
JUSQU'À LA QUATRIÈME GÉNÉRATION	
LES ROBOTS DE L'AUBE - 1	*J'ai Lu* 1602***
LES ROBOTS DE L'AUBE - 2	*J'ai Lu* 1603***
LE VOYAGE FANTASTIQUE	*J'ai Lu* 1635***

(mai 84)

ISAAC ASIMOV

les robots de l'aube

2

traduit de l'américain par France-Marie WATKINS

Éditions J'ai Lu

Ce roman a paru sous le titre original :

THE ROBOTS OF DAWN

© Nightfall, Inc., 1983

Pour la traduction française :
© Éditions J'ai Lu, 1984

X

Encore Vasilia

40

On se serait cru dans une dramatique de l'hypervision, soudain figée en plan fixe holographique.

Aucun des robots ne bougeait, naturellement, pas plus que Baley et le Dr Vasilia Aliena. Plusieurs secondes s'écoulèrent — anormalement longues — avant que Vasilia laisse échapper son souffle et se lève très lentement.

Les traits crispés, elle souriait, la figure glaciale.

— Vous dites, Terrien, articula-t-elle à voix basse, que je serais complice de la destruction du robot humaniforme ?

— C'est un peu ce qui m'est venu à l'idée, docteur.

— Merci de votre idée ! L'entrevue est terminée. Vous pouvez partir.

D'un geste, elle montra la porte.

— Malheureusement, je n'en ai pas envie, riposta Baley.

— Je n'ai que faire de vos envies, Terrien.

— Vous devriez, car comment me faire partir contre mon gré ?

— J'ai des robots qui, à ma demande, vous mettront

poliment mais fermement dehors et sans blesser autre chose que votre amour-propre, si vous en avez.

— Vous n'avez ici qu'un seul robot. J'en ai deux, qui ne le permettront pas.

— J'en ai vingt qui se précipiteront à mon appel.

— Docteur Vasilia, réfléchissez, voyons! Vous avez été surprise en voyant Daneel. Je suis à peu près sûr que, tout en travaillant à l'Institut de Robotique, où les robots humaniformes sont en priorité à l'ordre du jour, vous n'en aviez jamais vu un complètement fini et en fonctionnement. Vos robots, par conséquent, n'en ont jamais vu non plus. Regardez donc Daneel. Il a l'air humain. Il a l'air plus humain que n'importe quel robot qui a jamais existé, à l'exception de Jander qui est mort. Pour vos robots, Daneel sera sûrement un être humain. Et il saura aussi présenter un ordre de telle manière que les robots lui obéiront de préférence à vous, peut-être.

— Je peux, en cas de besoin, appeler vingt êtres humains de l'Institut qui vous jetteront dehors, avec quelques dégâts cette fois, et vos robots, même Daneel, seront incapables d'intervenir pour vous défendre efficacement.

— Comment comptez-vous appeler ces personnes, puisque mes robots ne vont pas vous permettre de bouger? Ils ont des réflexes extraordinairement rapides.

Les dents de Vasilia brillèrent mais le pli de ses lèvres ne pouvait en aucun cas passer pour un sourire.

— Je ne puis parler pour Daneel mais j'ai connu Giskard toute ma vie. Je suis persuadée qu'il ne fera *rien* pour m'empêcher d'appeler du secours et je pense même qu'il empêchera Daneel d'intervenir.

Baley s'efforça de maîtriser sa voix, car il savait qu'il s'aventurait sur de la glace de plus en plus mince.

— Avant de faire quoi que ce soit, conseilla-t-il, peut-être pourriez-vous demander à Giskard ce qu'il ferait si vous et moi lui donnions des ordres contradictoires.

— Giskard? demanda Vasilia avec une confiance absolue.

Les yeux de Giskard se tournèrent vers elle et il répondit, avec un curieux timbre de voix :

— Petite Miss, je suis obligé de protéger Mr Baley. Il passe en premier.

— Vraiment? Sur quel ordre? Celui de ce Terrien, de cet étranger?

— Sur l'ordre du Dr Han Fastolfe.

Les yeux de Vasilia fulgurèrent et elle se rassit lentement sur le tabouret. Ses mains, posées sur ses genoux, tremblaient et elle dit presque sans remuer les lèvres :

— Il t'a même pris à moi. Toi!

Puis elle se tourna vers Baley :

— Que voulez-vous?

— Me renseigner. J'ai été convoqué à Aurora, ce monde de l'Aube, pour élucider un événement qui ne semble avoir aucune explication vraisemblable, un incident dont le Dr Fastolfe est accusé injustement, avec la possibilité de terribles conséquences pour votre monde et pour le mien. Daneel et Giskard comprennent cette situation et savent très bien que rien, à part la Première Loi, dans son principe le plus absolu et le plus inviolable, ne peut avoir de priorité sur les efforts que je fais pour résoudre cette énigme. Comme ils ont entendu ce que j'ai dit et savent que vous pourriez être complice de ce crime, ils comprennent qu'ils ne doivent pas permettre à cette entrevue de prendre fin. Par conséquent, ne prenez pas le risque de vous exposer à ce qu'ils seraient obligés de faire si vous refusiez de répondre à mes questions. Je vous ai accusée d'être complice du meurtre de Jander Panell. Niez-vous cette accusation, oui ou non? Vous *devez* répondre!

— Je répondrai, dit amèrement Vasilia. N'ayez crainte! Un meurtre? Un robot tombe en panne et c'est un *meurtre*? Mais, meurtre ou non, je le nie catégoriquement. Je le nierai de toutes mes forces. Je n'ai pas donné à Gremionis d'information sur la robotique dans le propos de lui permettre d'anéantir Jander. Je ne suis pas assez savante pour cela et je doute fort que quelqu'un de l'Institut en sache assez.

— J'ignore si vous en savez assez pour aider à commettre ce crime ou si quelqu'un de l'Institut est dans ce cas, mais nous pouvons au moins parler des mobiles. Premièrement, vous éprouvez peut-être de la tendresse pour ce Gremionis. Même si vous repoussez ses offres, même si vous le méprisez et le trouvez risible comme amant éventuel, serait-il si inconcevable que vous ne vous sentiez flattée par son insistance, assez pour accepter de l'aider s'il faisait appel à vous et vous implorait, sans aucune exigence sexuelle qui vous importunerait ?

— Vous voulez dire qu'il aurait pu venir me trouver en disant : « Vasilia, chère amie, j'aimerais faire tomber en panne un robot. Je vous en prie, dites-moi comment m'y prendre, je vous serai éternellement reconnaissant. » Et j'aurais répondu : « Mais comment donc, mon chou, je serais ravie de vous aider à commettre cet acte ! »... C'est insensé ! Personne, sauf un Terrien qui ne connaît rien des coutumes et des usages d'Aurora, ne peut croire à une fable aussi ridicule. Et même, il faut pour y croire un Terrien particulièrement stupide !

— Peut-être, mais je dois envisager toutes les possibilités. Par exemple, en voici une seconde. N'auriez-vous pas pu être jalouse de ce que Gremionis ait transféré son affection sur une autre, si bien que vous ne l'auriez pas aidé par pure tendresse abstraite mais dans le dessein précis et très concret de le regagner ?

— Jalouse ? C'est une émotion terrienne, la jalousie. Si je ne veux pas de Gremionis pour moi, vraiment, qu'est-ce que ça pourrait me faire qu'il aille s'offrir à une autre femme et qu'elle accepte ? Ou même qu'une femme s'offre à lui et qu'il accepte ?

— On m'a déjà dit que la jalousie sexuelle est inconnue à Aurora et je veux bien admettre que c'est vrai en principe, mais généralement, les principes ne résistent guère à la pratique. Il y a sûrement des exceptions. De plus, la jalousie est le plus souvent une émotion irrationnelle que l'on ne peut dissiper au moyen de la logique pure. Mais laissons cela pour le moment. Passons à la troisième possibilité. Vous pourriez être jalouse de Gladia et désireuse de lui faire du mal, même si vous n'éprouvez pas le moindre sentiment pour Gremionis.

— Jalouse de Gladia ? Je ne l'ai jamais vue sauf une fois sur les Hyperondes, quand elle est arrivée à Aurora. Et s'il est arrivé que l'on fasse de temps en temps des réflexions sur notre ressemblance, cela ne m'a absolument pas gênée.

— Cela vous gêne peut-être qu'elle soit devenue la pupille du Dr Fastolfe, sa filleule, presque la fille que vous avez été. Elle vous a remplacée.

— Grand bien lui fasse ! C'est vraiment le cadet de mes soucis.

— Même s'ils étaient amants ?

Vasilia dévisagea Baley avec une fureur croissante ; un peu de sueur apparut à la racine de ses cheveux.

— Il est inutile de parler de cela. Vous m'avez demandé de nier que j'avais été complice de ce que vous vous amusez à appeler un meurtre, et je l'ai nié. Je vous ai dit que je n'étais pas assez savante pour cela et que je n'avais aucun mobile. Allez donc présenter votre affaire à tout Aurora. Essayez donc de m'attribuer des mobiles. Affirmez, si vous en avez envie, que j'ai toutes les connaissances voulues pour commettre cet acte. Cela ne vous rapportera rien, absolument rien !

Elle tremblait de colère mais Baley eut la très nette impression qu'elle parlait sincèrement.

Elle ne craignait pas l'accusation.

Elle avait accepté de le recevoir, donc il était bien sur la piste de quelque chose qu'elle craignait, peut-être désespérément.

Mais ce n'était pas cela.

Il se demanda dans quelle mesure et à quel moment il s'était trompé.

Troublé (et cherchant un moyen de se tirer d'affaire), Baley reprit :

— Admettons que j'accepte votre déclaration, docteur Vasilia. Admettons que je reconnaisse que mes soupçons étaient sans fondement, que j'avais tort de penser que vous aviez été complice de ce... roboticide. Cela ne voudrait quand même pas dire qu'il vous est impossible de m'aider.

— Et pourquoi vous aiderais-je ?

— Par solidarité humaine. Le Dr Han Fastolfe nous assure qu'il n'a pas commis cet acte, qu'il n'est pas un tueur de robots, qu'il n'a pas mis hors d'état de fonctionner ce robot particulier, Jander. Vous avez connu le Dr Fastolfe mieux que personne, semble-t-il. Vous avez vécu des années en rapports familiers avec lui, quand vous étiez une enfant bien-aimée, sa fille adolescente. Vous l'avez vu à des moments et dans des circonstances où personne d'autre ne l'a vu. Quels que soient aujourd'hui vos sentiments pour lui, cela ne peut rien changer au passé. Le connaissant comme vous le connaissez, vous devez pouvoir témoigner que son caractère est tel que jamais il ne ferait de mal à un robot, surtout pas à un robot qui était une de ses plus éclatantes réussites. Accepteriez-vous de porter publiquement ce témoignage ? A tous les mondes ? Cela rendrait un grand service.

La figure de Vasilia se durcit.

— Comprenez-moi, dit-elle en articulant distinctement, je ne veux pas être mêlée à cette affaire.

— Vous devez l'être !

— Pourquoi ?

— Ne devez-vous rien à votre père ? Il est quand même votre père. Que ce mot ait ou n'ait pas de signification pour vous, c'est une réalité biologique. Et de plus, père ou non, il a pris soin de vous, vous a nourrie, élevée, instruite, pendant des années. Vous avez une dette envers lui.

Vasilia tremblait et claquait des dents. Elle essaya de répondre, n'y parvint pas, essaya de respirer calmement.

— Giskard, tu entends tout ce qui se passe?

Giskard baissa la tête.

— Oui, Petite Miss.

— Et toi, l'humaniforme... Daneel?

— Oui, docteur Vasilia.

— Tu entends tout cela aussi?

— Oui, docteur Vasilia.

— Vous comprenez tous les deux que le Terrien insiste pour que je témoigne à propos de la personnalité du Dr Fastolfe?

Tous deux hochèrent la tête.

— Alors je parlerai, contre mon gré et dans la colère. C'est parce que je pensais que je lui devais justement un minimum de considération, parce qu'il m'avait transmis ses gènes et, à sa façon, m'avait élevée, c'est pour cela que je n'ai pas porté témoignage. Mais à présent je vais le faire. Ecoutez-moi, Terrien. Le Dr Han Fastolfe, dont je porte quelques gènes, n'a pas pris soin de moi — *moi, moi* — comme d'un être humain distinct, autonome. Je n'étais pour lui qu'un sujet d'expérience, un phénomène à observer.

Baley secoua la tête.

— Ce n'est pas ce que je vous demande.

Elle lui coupa rageusement la parole :

— Vous avez insisté pour que je parle, alors je parlerai et je vous répondrai! Une seule chose intéresse le Dr Fastolfe. Une seule. Uniquement une chose. C'est le fonctionnement du cerveau humain. Il veut le réduire à des équations, à un schéma de montage, avec tous ses circuits, afin de créer une science du comportement humain qui lui permettrait de prédire l'avenir de l'humanité. Il appelle cette science la « psycho-histoire ». Je ne peux pas croire que vous vous soyez entretenu avec lui ne serait-ce qu'une heure sans qu'il en parle. C'est son idée fixe, sa monomanie.

Vasilia examina l'expression de Baley et s'écria, avec une joie féroce :

— J'en étais sûre ! Il vous en a parlé. Alors il a dû vous dire qu'il ne s'intéressait aux robots que dans la mesure où ils pourraient lui faire comprendre le cerveau humain. Il ne s'intéresse aux robots humaniformes que dans la mesure où ils pourraient le rapprocher encore plus du cerveau humain... Oui, il vous a dit cela aussi, je le vois.

» La théorie fondamentale qui a rendu possible les robots humaniformes est venue, j'en suis absolument certaine, de ses tentatives de comprendre le cerveau humain. Il tient à cette théorie comme à sa propre vie et il ne la fera jamais connaître à personne, parce qu'il veut résoudre seul le problème du cerveau humain pendant les deux ou trois siècles qui lui restent à vivre. Tout est subordonné à cela. Moi incluse, indiscutablement.

Baley, cherchant à remonter le courant de ce déferlement de fureur, demanda à voix basse :

— En quoi est-ce que cela vous « incluait », docteur Vasilia ?

— Quand je suis née, j'aurais dû être placée, avec d'autres de mon espèce, chez des professionnels qui savent comment s'occuper des bébés. Je n'aurais pas dû être laissée seule, confiée à un amateur, père ou non, savant ou non. Le Dr Fastolfe n'aurait pas dû être autorisé à soumettre une enfant à un tel environnement et on ne l'aurait jamais permis à quiconque d'autre. Pour cela, il a tiré profit de tout son prestige, de toutes les faveurs qu'on lui devait, il a persuadé les plus hautes personnalités qu'il en était capable, jusqu'à ce qu'enfin il me contrôle seul.

— Il vous aimait, marmonna Baley.

— M'aimait ? N'importe quel bébé aurait fait l'affaire, mais il n'en avait pas d'autre à sa disposition. Ce qu'il voulait, c'était un enfant grandissant en sa pré-

12

sence, un cerveau en plein développement. Il voulait se livrer à une étude approfondie des modalités de ce développement, de sa manière de s'épanouir. Il voulait un cerveau humain sous sa forme la plus simple, devenant plus complexe, afin de l'étudier en détail. Dans ce dessein, il m'a soumise à un environnement anormal et à une expérimentation subtile, sans aucun égard pour moi en tant qu'être humain.

— Je ne puis le croire. Même s'il s'intéressait à vous comme sujet d'expérience, cela ne l'empêchait pas de vous aimer sur le plan humain.

— *Non !* Vous parlez en Terrien. Sur la Terre il y a peut-être quelque considération pour les rapports biologiques. Ici, il n'y en a pas. J'étais pour lui un sujet d'expérience, un point c'est tout.

— Quand bien même cela aurait été vrai pour commencer, le Dr Fastolfe n'a pu s'empêcher d'apprendre à vous aimer... vous, petit objet sans défense abandonné à ses soins. Même sans le moindre rapport biologique, même si vous aviez été un animal, disons, il aurait appris à vous aimer.

— Ah vraiment ? s'exclama-t-elle amèrement. Vous ne connaissez pas la force de l'indifférence, chez un homme comme le Dr Fastolfe. Si, pour les besoins de son étude, il avait eu besoin de me faire mourir, il n'aurait pas hésité une seconde.

— C'est ridicule ! Voyons, docteur Vasilia, il vous a traitée avec tellement de bonté et de considération que vous en avez éprouvé de l'amour. Je le sais. Vous... Vous vous êtes offerte à lui.

— Il vous a dit ça, hein ? Oui, ça ne m'étonne pas. Pas un instant, même aujourd'hui, il ne prendrait la peine de se demander si une telle révélation ne serait pas embarrassante pour moi. Je me suis offerte à lui, oui, et pourquoi pas ? Il était le seul être humain que je connaissais vraiment. Superficiellement, il était gentil avec moi et je ne comprenais pas son dessein réel. Il était pour moi un objectif naturel. Et puis il s'était aussi fort bien appliqué à me faire connaître la stimulation sexuelle dans des conditions contrôlées; des contrôles qu'il avait organisés lui-même. C'était inévitable qu'un jour je me tourne vers lui. Je le devais bien, puisqu'il n'y avait personne d'autre. Mais il a refusé.

— Et, pour cela, vous l'avez détesté.

— *Non!* Pas au début. Pas pendant des années. Même si mon développement sexuel en a été compromis, avec des résultats dont je souffre encore, je ne lui reprochais rien. J'étais trop ignorante. Je lui trouvais des excuses. Il avait trop à faire. Il avait les autres. Il avait besoin de femmes plus âgées. Vous seriez stupéfait de l'ingéniosité que je déployais à trouver des raisons à son refus. C'est seulement bien des années plus tard que j'ai compris que quelque chose n'allait pas, que j'ai réussi à aborder la question ouvertement, face à face. Je lui ai demandé pourquoi il m'avait refusée, je lui ai dit qu'en acceptant il aurait pu me mettre sur la bonne voie, tout résoudre...

Elle s'interrompit, la gorge serrée, et resta un moment une main sur les yeux. Baley attendit, pétrifié de gêne. Les robots étaient impassibles (incapables sans doute, pensa Baley, de ressentir une quelconque variation dans leurs circuits positroniques qui produirait une sensation comparable de près ou de loin à la gêne humaine).

Le Dr Vasilia reprit, plus calmement :

— Il a éludé la question, aussi longtemps qu'il l'a pu, mais je revenais sans cesse à la charge. « Pourquoi m'as-tu refusée ? Pourquoi m'as-tu refusée ? » Il n'hésitait pas à se livrer à des pratiques sexuelles. J'étais au courant de plusieurs occasions... Je me souviens que je me suis demandé s'il préférait les hommes. Quand les enfants ne sont pas en cause, les préférences personnelles dans ce domaine sont sans importance, et certains hommes peuvent ne pas trouver les femmes à leur goût ou vice versa. Mais ce n'était pas le cas de cet homme que vous appelez mon père. Il aimait les femmes, parfois les jeunes femmes, aussi jeunes que je l'étais quand je me suis offerte la première fois. « Pourquoi m'as-tu refusée ? » Il a fini par me répondre, et je vous laisse deviner quelle était cette réponse !

Elle se tut et attendit, l'air ironique.

Baley, mal à l'aise, changea de position et marmonna :

— Il n'aimait pas faire l'amour avec sa fille ?

— Ah, ne soyez pas stupide ! Qu'est-ce que ça peut faire ? Compte tenu que pratiquement aucun homme d'Aurora ne sait qui est sa fille, en faisant l'amour avec n'importe quelle femme de vingt ans plus jeune que lui il risquerait... Mais peu importe, c'est l'évidence même. Non, non, ce qu'il m'a répondu, et je me rappelle chaque mot, oh oui ! c'est ceci : « Petite idiote, si j'avais ce genre de rapports avec toi, comment pourrais-je conserver mon objectivité et à quoi me servirait mon étude de toi ? »

» A ce moment, voyez-vous, j'étais au courant de son intérêt pour le cerveau humain. Je marchais même sur ses traces et je devenais une roboticienne par moi-même. Je travaillais en ce sens avec Giskard et je faisais des expériences avec sa programmation. Je m'y prenais très bien, n'est-ce pas, Giskard ?

— En effet, Petite Miss.

— Mais je voyais bien que cet homme que vous appelez mon père ne me considérait pas comme un être humain. Il préférait me voir désaxée pour la vie plutôt que de renoncer à son objectivité. Ses observations étaient plus importantes pour lui que ma normalité. A partir de ce moment, j'ai compris ce que j'étais et ce qu'il était et j'ai fini par le quitter.

Un silence suivit, un silence pesant.

Baley avait un peu mal à la tête. Mille questions se bousculaient dans son esprit : « Ne pouviez-vous tenir compte de l'égocentrisme d'un grand savant ? De l'importance d'un immense problème ? Ne pouviez-vous juger sa réponse en faisant la part de l'irritation d'être forcé à discuter de ce qu'il ne voulait pas aborder ? » Et d'autres : La colère même de Vasilia, maintenant, n'était-elle pas du même ordre ? Est-ce que son idée fixe de sa propre « normalité » (et comment savoir ce qu'elle entendait par là ?) à l'exclusion des deux plus importants problèmes, sans doute, confrontant l'humanité — la nature du cerveau humain et la conquête de la Galaxie — ne représentait pas un égocentrisme égal et bien moins pardonnable ?

Mais il ne dit rien de tout cela. Il ne savait pas comment le rendre intelligible à cette femme et il ne savait d'ailleurs pas s'il la comprendrait au cas où elle répondrait.

Que faisait-il dans ce monde, parmi ces gens ? Il était incapable de comprendre leurs coutumes, leur tournure d'esprit, en dépit de toutes les explications, pas plus qu'ils ne pouvaient comprendre les siennes.

— Je regrette, docteur Vasilia, dit-il avec lassitude. Je conçois votre colère, mais si vous parveniez à la maîtriser pour le moment et à réfléchir à l'affaire du Dr Fastolfe et au robot assassiné, ne pourriez-vous reconnaître que nous traitons de deux choses différentes ? Le Dr Fastolfe a peut-être voulu vous observer d'une manière objective et détachée, même au prix de votre bonheur, tout en étant à des années-lumière du désir de détruire un robot humaniforme avancé.

Vasilia rougit et glapit :

— Vous ne comprenez pas ce que je vous dis, Terrien ? Croyez-vous que je vous ai raconté tout ça parce que je pensais que vous seriez intéressé — vous ou n'importe qui — par la triste histoire de ma vie ? Est-ce que vous vous imaginez que ça me fait plaisir de me révéler de cette manière ?

» Si je vous ai raconté tout ça, c'est uniquement pour vous démontrer que le Dr Han Fastolfe, mon père biologique comme vous ne vous lassez pas de me le répéter, a bien détruit Jander. C'est évident, voyons ! Je me suis retenue de le dire parce que personne, avant vous, n'avait été assez bête pour me poser la question et aussi à cause d'un reste de sotte considération que j'ai encore pour cet homme. Mais maintenant que vous le demandez, je vous réponds, et par Aurora, je continuerai de le dire à tout le monde, de le crier sur les toits, de le déclarer publiquement, s'il le faut.

» Le docteur Han Fastolfe a bien détruit Jander Panell. J'en suis certaine. Etes-vous satisfait?

42

Baley considéra avec horreur cette femme égarée. Il bredouilla et dut s'y reprendre à deux fois pour parler.

— Je ne comprends pas, docteur Vasilia. Je vous en prie, calmez-vous et réfléchissez. Pourquoi le docteur Fastolfe aurait-il voulu détruire ce robot? Et quel rapport y a-t-il avec sa manière de vous traiter? Imaginez-vous une forme de représailles contre vous?

Vasilia respirait rapidement (nota Baley distraitement et sans intention consciente, en remarquant malgré lui que si elle était aussi menue que Gladia elle avait des seins plus gros) et elle parut faire un effort surhumain pour maîtriser sa voix.

— Il me semble vous avoir expliqué, Terrien, que Han Fastolfe est intéressé par l'observation du cerveau humain. Il n'a pas hésité à infliger des tensions au mien afin d'observer les résultats. Et il préfère les cerveaux qui sortent de l'ordinaire, celui d'un bébé, par exemple, pour en étudier le développement. N'importe quoi sauf un cerveau commun.

— Mais quel rapport avec...

— Demandez-vous donc pourquoi il s'intéresse tellement à l'étrangère!

— A Gladia? Je le lui ai demandé, justement, et il me l'a dit. Elle lui rappelle sa fille, vous. Et j'avoue que la ressemblance est très nette.

— Quand vous m'avez dit cela tout à l'heure, ça m'a amusée et je vous ai demandé si vous l'aviez cru. Alors je vous pose encore une fois la question. Le croyez-vous ?

— Pourquoi ne le croirais-je pas ?

— Parce que ce n'est pas vrai. La ressemblance a pu attirer son attention, mais la véritable clef de cet intérêt c'est que l'étrangère est... étrangère. Elle a été élevée à Solaria, où les coutumes, les croyances, les axiomes sociaux ne sont pas ceux d'Aurora. Il pouvait par conséquent étudier un cerveau coulé dans un moule différent du nôtre et y découvrir des perspectives intéressantes. Vous ne le comprenez pas ? Et puisque nous y sommes, pourquoi s'intéresse-t-il à *vous*, Terrien ? Est-il bête au point de s'imaginer que vous serez capable de résoudre un problème d'Aurora, vous qui ne connaissez rien d'Aurora ?

Daneel intervint soudain, et le son de sa voix fit sursauter Baley. Daneel était resté si longtemps immobile et silencieux qu'il avait oublié sa présence.

— Docteur Vasilia, dit le robot, le camarade Elijah a résolu un problème à Solaria, bien qu'il ne sût rien de Solaria.

— Oui, dit aigrement Vasilia, tous les mondes ont pu admirer cet exploit en hypervision, dans cette fameuse émission. Et la foudre tombe aussi mais je ne pense pas que Han Fastolfe soit tellement certain qu'elle frappera deux fois de suite si rapidement. Non, Terrien, vous l'avez attiré, d'abord, parce que vous êtes un Terrien. Vous possédez vous aussi un cerveau étranger qu'il peut étudier et manipuler.

— Enfin, docteur Vasilia, vous n'allez pas croire qu'il risquerait de compromettre des affaires d'une importance vitale pour Aurora, en faisant venir un homme qu'il saurait incapable dans l'unique but d'étudier un vague cerveau !

— Mais certainement, il prendrait ce risque ! Aucune crise mettant Aurora en danger ne lui paraîtrait un seul instant plus importante que la solution du problème du cerveau. Et si vous lui posiez la question, je sais exactement ce qu'il vous répondrait. Aurora peut croître ou dépérir, prospérer ou tomber dans la misère : ce ne serait absolument rien comparé au problème du cerveau. Car si les êtres humains arrivent à réellement comprendre le cerveau, tout ce qui a été perdu en un millénaire de négligence ou de mauvaises décisions serait regagné en dix ans de développement humain habilement dirigé et guidé par son rêve de « psycho-histoire ». Il emploierait le même argument pour justifier n'importe quoi, les mensonges, la cruauté, n'importe quoi, en disant simplement que c'est pour faire avancer la connaissance du cerveau.

— Je ne puis imaginer que le Dr Fastolfe soit cruel. C'est la bonté même.

— Vraiment ? Combien de temps avez-vous passé près de lui ?

— Je l'ai vu pendant une heure ou deux sur Terre, il y a trois ans. Ici à Aurora, maintenant, depuis une journée entière.

— Une journée entière. Une journée *entière* ! Je suis restée constamment avec lui pendant près de trente ans, et depuis j'ai suivi sa carrière de loin avec une grande attention. Et vous, vous avez passé avec lui une journée entière, Terrien ? Dites-moi, pendant cette journée, il n'a vraiment rien fait qui vous ait effrayé ou humilié ?

Baley garda le silence. Il songeait à la soudaine attaque avec l'épiceur dont Daneel l'avait sauvé, de la Personnelle camouflée dont il n'avait pu se servir qu'avec difficulté, de la lente marche dans l'Extérieur destinée à étudier ses capacités de s'adapter au dehors.

— Je vois qu'il l'a fait, dit Vasilia. Votre figure n'est pas le masque d'impassibilité que vous croyez peut-être, Terrien. Vous a-t-il menacé de sondage psychique ?

— Il en a été question.

— Un seul jour, et il en a déjà été question. Je suppose que cela vous a mis mal à l'aise ?

— En effet.

— Et qu'il n'avait aucune raison d'en parler ?

— Ah, mais si ! répondit vivement Baley. J'avais dit

que pendant un instant j'avais eu une idée et qu'ensuite elle m'avait échappé, et il était normal qu'il suggère un sondage psychique pour m'aider à retrouver cette idée.

— Non, pas du tout. Le sondage psychique ne peut être employé avec une délicatesse suffisante pour cela et, si on le tentait, les risques de dégâts permanents au cerveau seraient considérables.

— Sûrement pas si ce sondage était effectué par des experts. Le Dr Fastolfe, par exemple.

— Par *lui* ? Il est incapable de distinguer un bout de la sonde de l'autre ! C'est un théoricien, pas un technicien. Il ne sait absolument pas se servir de ses mains.

— Par quelqu'un d'autre, alors. En fait, il n'a pas dit qu'il le ferait lui-même.

— Non, Terrien. Par *personne*. Réfléchissez ! Réfléchissez ! Si le sondage psychique pouvait être utilisé sans danger sur des êtres humains, par n'importe qui, et si Han Fastolfe était si préoccupé par le problème de désactivation du robot, alors pourquoi n'a-t-il pas suggéré que le sondage psychique soit appliqué à lui-même ?

— A lui-même ?

— Ne me dites pas que cette idée ne vous est pas venue ! N'importe quel être pensant en viendrait à la conclusion que Fastolfe est coupable. Le seul point en faveur de son innocence, c'est qu'il se déclare lui-même innocent avec beaucoup d'insistance. Mais alors, pourquoi ne propose-t-il pas de prouver son innocence en se faisant psychiquement sonder pour démontrer qu'aucune trace de culpabilité ne peut être détectée dans un recoin de son cerveau ? A-t-il fait une telle proposition, Terrien ?

— Non.

— Parce qu'il sait très bien que ce serait mortellement dangereux. Et pourtant, il n'a pas hésité à le suggérer pour vous, simplement pour observer comment votre cerveau réagit à une tension, comment vous réagissez à la peur. Ou peut-être l'idée lui est venue que même si le sondage est dangereux pour vous, il pourrait lui apporter des renseignements intéressants sur les détails de votre cerveau modelé par la Terre. Alors dites-moi, maintenant, si ce n'était pas cruel, ça ?

Baley écarta la question d'un petit geste irrité du bras.

— Comment cela s'applique-t-il à l'affaire en soi, au roboticide ?

— La Solarienne, Gladia, a plu à mon ex-père. Elle a un cerveau intéressant... à ses yeux à lui. Par conséquent, il lui a donné ce robot, Jander, pour voir ce qui se passerait si une femme qui n'a pas été élevée à Aurora est mise en contact avec un robot qui paraît absolument humain dans tous les détails. Il savait qu'une Auroraine se servirait fort probablement de lui immédiatement, pour des rapports sexuels, et n'aurait aucun mal à faire cela. Je sais que j'aurais sans doute des ennuis, parce que je n'ai pas été élevée normalement, mais aucune autre Auroraine ne serait perturbée. La Solarienne, d'autre part, devait avoir beaucoup de difficultés car elle a été élevée dans un monde extrêmement robotisé et a donc une attitude mentale rigide à l'égard des robots. La différence, voyez-vous, serait certainement instructive pour mon père, qui cherchait, par ces variantes, à échafauder sa théorie du fonctionnement cérébral. Han Fastolfe a attendu patiemment la moitié d'une année que la Solarienne en soit arrivée au point où elle se hasardait aux premières approches expérimentales...

— Votre père, interrompit Baley, ne savait absolument rien des rapports entre Gladia et Jander.

— Qui vous a dit ça, Terrien ? Mon père ? Gladia ? Si c'est lui, il ment, c'est évident ; si c'est elle, elle l'ignore tout simplement. Vous pouvez être assuré que Fastolfe savait ce qui se passait ; il le fallait bien, car cela avait dû figurer dans son étude du développement du cerveau humain dans les conditions solariennes.

» Et puis il s'est demandé — j'en suis aussi certaine que si j'avais le don de lire dans sa pensée — ce qui arriverait maintenant que la Solarienne commençait tout juste à dépendre de Jander, si brusquement, sans raison, elle le perdait. Il savait ce que ferait une Auroraine. Elle serait déçue et puis elle chercherait un remplaçant. Mais que ferait une Solarienne? Il s'est donc arrangé pour détraquer Jander...

— Détruire un robot d'une valeur inestimable simplement pour satisfaire une banale curiosité?

— Monstrueux, n'est-ce pas? Mais c'est bien dans la manière de Han Fastolfe. Alors retournez auprès de lui, Terrien, et annoncez-lui que son petit jeu est terminé. Si cette planète, dans l'ensemble, ne le croit pas coupable en ce moment, elle n'en doutera certainement pas une fois que j'aurai fait ce que j'ai à faire!

43

Baley, pendant un long moment, resta comme assommé sous l'œil satisfait de Vasilia. Elle avait une figure dure qui ne ressemblait plus du tout à celle de Gladia.

Apparemment, il n'y avait rien à faire...

Baley se leva et se sentit vieux, beaucoup plus vieux que ses quarante-cinq ans normaux (l'enfance pour ces Aurorains). Jusqu'à présent, tout ce qu'il avait fait n'avait abouti à rien. Pire même, car à chacune de ses tentatives d'élucidation, la corde paraissait se resserrer autour de Fastolfe.

Il leva les yeux vers le plafond transparent. Le soleil était encore bien haut mais peut-être avait-il dépassé son zénith; il était plus diffus que jamais. De fines écharpes de nuages le voilaient par moments.

Vasilia parut s'en apercevoir à la direction du regard de Baley. Elle allongea le bras sur la partie du long établi près duquel elle était assise et le plafond perdit sa transparence. En même temps, une lumière brillante baigna la salle de la même clarté vaguement orangée que celle du soleil.

— Je pense que cette entrevue est terminée, dit-elle. Je n'ai aucune raison de vous revoir, Terrien, ni vous de me rendre visite. Peut-être feriez-vous mieux de quitter Aurora.

Elle sourit froidement et prononça sa phrase suivante presque sauvagement :

— Vous avez fait assez de mal à mon père, encore que ce soit bien loin de ce qu'il mérite !

Baley fit un pas vers la porte et ses deux robots l'encadrèrent. Giskard demanda à voix basse :

— Vous sentez-vous bien, monsieur ?

Baley haussa les épaules. Que répondre à cela ?

— Giskard ! cria Vasilia. Quand le Dr Fastolfe jugera qu'il n'a plus besoin de toi, viens donc faire partie de mon personnel.

Giskard la dévisagea calmement.

— Si le Dr Fastolfe le permet, c'est ce que je ferai, Petite Miss.

Le sourire de Vasilia devint plus chaleureux.

— Ne l'oublie pas, Giskard. Tu n'as jamais cessé de me manquer.

— Je pense souvent à vous, Petite Miss.

A la porte, Baley se retourna.

— Docteur Vasilia, auriez-vous une Personnelle privée que je pourrais utiliser ?

Elle ouvrit de grands yeux.

— Certainement pas, Terrien. Il y a des Personnelles communautaires, ici et là dans l'Institut. Vos robots devraient pouvoir vous y conduire.

Il la contempla en secouant la tête. Il n'était pas surpris qu'elle ne veuille pas que ses appartements soient contaminés par un Terrien, et pourtant cela le mettait en colère.

Alors ce fut avec colère qu'il parla, plus que par jugement rationnel :

— Docteur Vasilia, si j'étais vous, je ne parlerais pas de la culpabilité du Dr Fastolfe.

— Qu'est-ce qui m'en empêchera ?

— Le danger de la découverte par le grand public de vos manigances avec Gremionis. Le danger pour vous.

— Ne soyez pas ridicule ! Vous avez vous-même reconnu qu'il n'y avait aucune conspiration entre Gremionis et moi.

— Pas vraiment, en effet. J'ai reconnu qu'il semblait raisonnable de conclure qu'il n'y avait pas eu de conspiration directe entre vous et lui pour détruire Jander. Mais il demeure la possibilité d'une conspiration indirecte.

— Vous êtes fou ! Et qu'est-ce qu'une conspiration indirecte ?

— Je n'ai pas envie de discuter de cela devant les robots du Dr Fastolfe, à moins que vous insistiez. Et vous n'avez aucune raison pour cela, n'est-ce pas ? Vous savez très bien ce que je veux dire.

Baley n'avait aucune raison de penser qu'elle se laisserait impressionner par ce coup de bluff. Il risquait au contraire d'aggraver la situation.

Mais le bluff marcha ! Vasilia parut se recroqueviller, en fronçant les sourcils.

Il existe donc bien une conspiration indirecte, se dit-il, quelle qu'elle soit, et ça pourrait bien la faire tenir tranquille jusqu'à ce qu'elle ait compris que je bluffais.

Il reprit, avec un espoir renaissant :

— Je le répète. Ne dites rien contre le Dr Fastolfe.

Mais, naturellement, il ne savait pas combien de temps il avait gagné. Bien peu, peut-être...

XI

Gremionis

44

Ils étaient de nouveau assis dans l'aéroglisseur, tous les trois à l'avant avec Baley au milieu, qui sentait la pression des robots de chaque côté. Il leur était reconnaissant d'être là, de leurs soins perpétuels, même s'ils n'étaient que des appareils, incapables de désobéir à des ordres.

Et puis il se dit : Pourquoi les mépriser en les traitant d'appareils ? Ce sont de *bons* appareils, dans un Univers d'humains parfois bien mauvais. Je n'ai pas plus le droit d'établir des sous-catégories opposant la machine à l'être humain que d'opposer plus généreusement le bien au mal.

— Je dois encore une fois poser la question, monsieur. Vous sentez-vous bien ? demanda Giskard.

— Tout à fait bien, Giskard. Je suis heureux d'être ici, dehors, avec vous deux.

Le ciel, dans l'ensemble, était blanc... d'un blanc cassé, plutôt. Une brise légère soufflait et il avait fait nettement frais, avant qu'ils montent dans la voiture.

— Camarade Elijah, dit Daneel, j'ai écouté soigneusement la conversation entre le Dr Vasilia et vous. Je ne voudrais pas faire de réflexions désobligeantes sur ce que le Dr Vasilia a dit, mais je dois vous assurer qu'autant que j'ai pu l'observer, le Dr Fastolfe est un être humain bon et courtois. Il n'a jamais, à ma connaissance, été délibérément cruel, pas plus qu'il n'a jamais, autant que je puisse en juger, sacrifié les valeurs essentielles d'un être humain afin de satisfaire sa curiosité.

Baley regarda le visage de Daneel, qui donnait une impression d'intense sincérité.

— Pourrais-tu dire quelque chose contre le Dr Fastolfe, même s'il était réellement cruel et impitoyable?

— Je pourrais garder le silence.

— Mais le ferais-tu?

— Si, en disant un mensonge, je devais faire du mal à un Dr Vasilia véridique en jetant un doute injustifié sur sa sincérité, si, en gardant le silence, je blessais le Dr Fastolfe en paraissant approuver les accusations portées contre lui, et si les deux maux étaient, selon mon jugement, d'une égale gravité, alors il serait nécessaire que je garde le silence. Le mal en acte prend en général le pas sur le mal par omission... toutes choses étant raisonnablement égales d'ailleurs.

— Ainsi, même si la Première Loi stipule : « Un robot ne doit pas faire de mal à un être humain ni, *par son inaction*, permettre qu'il arrive du mal à un être humain », les deux moitiés de la Loi ne sont pas égales? Le péché en acte, comme tu dis, est plus grand que le péché par omission?

— La lettre de la Loi n'est qu'une description approximative des variations constantes des forces positroniques dans les circuits robotiques, camarade Elijah. Je ne suis pas assez savant pour expliquer cela mathématiquement, mais je sais quelles sont mes tendances.

— Et elles te poussent toujours à choisir l'inaction plutôt que l'action si le mal est à peu près égal d'un côté et de l'autre?

— En général. Et à toujours choisir la vérité plutôt que la contre-vérité si le mal est dans l'une et l'autre direction à peu près égal. En général.

— Et dans ce cas, alors que tu parles pour réfuter le Dr Vasilia et lui faire ainsi du mal, tu ne peux le faire que parce que la Première Loi est suffisamment ambiguë et que tu dis la vérité?

— C'est exact, camarade Elijah.

— Cependant, le fait est que tu aurais dit ce que tu as dit même si c'était un mensonge, si le Dr Fastolfe t'avait donné l'ordre, avec une intensité suffisante, de proférer ce mensonge si besoin était, et de refuser d'admettre que tu avais reçu cet ordre?

Il y eut un temps, puis Daneel répondit :

— C'est exact, camarade Elijah.

— C'est une affaire bien embrouillée, Daneel, mais... crois-tu toujours que le Dr Fastolfe n'a pas assassiné Jander?

— L'expérience de ma vie avec lui, c'est qu'il est franc, véridique, camarade Elijah, et qu'il n'aurait pas fait de mal à l'Ami Jander.

— Et pourtant, le Dr Fastolfe m'a lui-même donné un puissant mobile pour avoir commis ce crime, alors que le Dr Vasilia a évoqué un tout autre mobile mais tout aussi puissant et encore plus honteux que le premier...

Baley réfléchit un moment, les sourcils froncés.

— Si le public avait connaissance de l'un ou l'autre mobile, la croyance à la culpabilité du Dr Fastolfe deviendrait universelle, dit-il. (Il se tourna brusquement vers Giskard.) Et toi, Giskard? Tu connais le Dr Fastolfe depuis plus longtemps que Daneel. Es-tu d'accord pour penser que le Dr Fastolfe n'a pu commettre cet acte et n'a pu détruire Jander, en te fondant sur ce que tu sais du caractère du Dr Fastolfe?

— Certainement, monsieur.

Baley considéra le robot et hésita. Giskard était moins avancé que Daneel. Jusqu'à quel point pouvait-on avoir confiance en lui, et en son témoignage? N'aurait-il pas tendance à suivre l'exemple de Daneel quelle que soit la direction que prendrait l'humaniforme?

— Tu connaissais aussi très bien le Dr Vasilia, n'est-ce pas ? demanda-t-il.

— Je la connaissais très bien, répondit Giskard.

— Et tu l'aimais bien, je suppose ?

— Elle m'a été confiée pendant de nombreuses années et cette responsabilité ne me pesait en aucune façon.

— Même si elle s'amusait à modifier ta programmation ?

— Elle était très habile.

— Est-elle capable de mentir au sujet de son père... je veux dire du Dr Fastolfe ?

Giskard hésita.

— Non, monsieur. Absolument pas.

— Alors, en somme, tu m'affirmes que ce qu'elle dit est la vérité ?

— Pas tout à fait, monsieur. Ce que j'affirme, c'est qu'elle croit elle-même qu'elle dit la vérité.

— Mais pourquoi croirait-elle à la vérité des méchantes accusations contre son père si, en réalité, il est aussi bon que vient de m'en assurer Daneel ?

— Elle a été aigrie par divers événements de sa jeunesse, répondit lentement Giskard, des événements dont elle croit le Dr Fastolfe responsable et dont il est possible qu'il le soit, dans une certaine mesure et involontairement. Il me semble que son intention n'était pas que les événements en question aient les conséquences qu'ils ont eues. Cependant, les êtres humains ne sont pas gouvernés par les strictes lois de la robotique. Il est donc difficile de juger de la complexité de leurs motivations dans la plupart des conditions.

— C'est assez logique, marmonna Baley.

Giskard demanda :

— Pensez-vous qu'il n'y a aucun espoir de démontrer l'innocence du Dr Fastolfe ?

Encore une fois, Baley fronça les sourcils.

— Peut-être bien. Pour le monde, je ne vois aucun moyen et si le Dr Vasilia parle, comme elle a menacé de le faire...

— Mais vous lui avez ordonné de ne pas parler. Vous lui avez expliqué que ce serait dangereux pour elle.

Baley secoua la tête.

— Je bluffais. Je ne trouvais rien d'autre à dire.

— Avez-vous l'intention de renoncer, alors ?

A cela, Baley répondit avec force :

— Non ! S'il n'y avait que Fastolfe, peut-être. Après tout, quelle atteinte physique risque-t-il ? Apparemment, le roboticide n'est même pas un crime, rien qu'un simple délit. Au pire, il perdrait de son influence politique et se verrait probablement dans l'incapacité de poursuivre pendant un certain temps ses travaux scientifiques. Je le regretterais, si cela arrivait, mais si je ne peux plus rien faire, je ne peux plus rien faire.

» Et s'il ne s'agissait que de moi, je renoncerais aussi. L'échec porterait un rude coup à ma réputation mais qui peut construire une maison de brique sans briques ? Je retournerais sur Terre un peu terni, je mènerais une vie misérable et déclassée, mais c'est le risque qui guette tout homme et toute femme de la Terre. De meilleurs hommes que moi ont eu à affronter tout aussi injustement la misère et l'opprobre.

» Mais c'est de la Terre qu'il s'agit. Si j'échoue, en plus de ces graves dommages pour le Dr Fastolfe et pour moi, ce sera la fin de tout espoir des Terriens de quitter la Terre et de s'installer dans l'ensemble de la Galaxie. Pour cette raison, je ne dois pas échouer, je dois persévérer vaille que vaille, aussi longtemps que je ne serai pas physiquement rejeté hors de ce monde.

Ce discours de Baley se termina presque dans un chuchotement. Brusquement, il redressa la tête et demanda d'une voix irritée :

— Mais qu'est-ce que nous fichons ici, encore garés, Giskard ? Est-ce que tu fais tourner le moteur pour t'amuser ?

— Sauf votre respect, monsieur, répondit le robot, vous ne m'avez pas dit où vous voulez que je vous conduise.

— C'est vrai... Je te demande pardon, Giskard.

29

Conduis-moi d'abord à la plus proche des Personnelles communautaires dont a parlé le Dr Vasilia. Vous êtes tous deux immunisés contre ce genre d'inconvénients, mais j'ai une vessie qui a besoin d'être vidée. Ensuite, trouve un endroit près d'ici où nous pourrons déjeuner. J'ai un estomac qui doit être rempli. Et après ça...

— Oui, camarade Elijah ? demanda Daneel.

— A parler très franchement, Daneel, je n'en sais rien. Cependant, une fois que j'aurai satisfait ces besoins purement physiques, je trouverai bien quelque chose.

Et Baley aurait bien voulu le croire !

45

L'aéroglisseur ne rasa pas longtemps la surface du sol. Il s'arrêta, en se balançant un peu, et Baley ressentit l'habituelle crispation de son estomac. Ce léger déséquilibre lui disait qu'il était dans un véhicule et chassait le sentiment temporaire de sécurité d'être dans un lieu clos entre deux robots. A travers les vitres devant lui et sur les côtés (et derrière s'il se tordait le cou), il voyait la blancheur du ciel et le vert du feuillage, tout cela se rapportant à l'Extérieur, c'est-à-dire à rien.

Ils s'étaient arrêtés devant une petite construction.

— Est-ce la Personnelle communautaire ? demanda-t-il.

— C'est la plus proche de toutes celles qui se trouvent sur les terres de l'Institut, camarade Elijah, répondit Daneel.

— Tu l'as vite trouvée. Est-ce que ces édicules sont inclus dans le plan tracé dans ta mémoire ?

— En effet, camarade Elijah.

— Est-ce que celle-ci est occupée en ce moment ?

— C'est possible, camarade Elijah, mais trois ou

quatre personnes peuvent s'en servir simultanément.

— Y a-t-il de la place pour moi ?

— Très probablement, camarade Elijah.

— Eh bien, alors, laisse-moi descendre, j'irai et je verrai bien...

Les robots ne bougèrent pas.

— Monsieur, dit Giskard, nous ne pouvons pas entrer avec vous.

— Oui, je le sais, Giskard.

— Nous ne pourrons pas vous protéger comme il convient, monsieur.

Baley fronça les sourcils. Le robot rudimentaire avait naturellement le cerveau le plus rigide, et Baley entrevit brusquement le risque de ne pas être autorisé à se laisser perdre de vue, et par conséquent de ne pas avoir le droit d'aller à la Personnelle. Il se fit plus insistant en se tournant vers Daneel, dont il espérait qu'il comprendrait mieux les besoins humains.

— Je n'y peux rien, Giskard... Daneel, je n'ai vraiment pas le choix. Laisse-moi descendre !

Daneel regarda Baley, sans bouger, et pendant quelques instants horribles, il crut que le robot allait lui suggérer de se soulager là dans le champ, en plein air, comme un animal.

L'instant passa.

— Je pense, dit Daneel, que nous devons permettre au camarade Elijah de faire ce qu'il veut dans ce cas précis.

Sur quoi Giskard déclara à Baley :

— Si vous pouvez attendre encore un petit moment, monsieur, je vais d'abord examiner les lieux.

Baley fit une grimace. Lentement, Giskard se dirigea vers la petite construction et, posément, il en fit le tour. Baley aurait aisément pu prédire que dès que Giskard aurait disparu, son besoin se ferait plus pressant.

Pour n'y plus penser, il regarda le paysage. Après un examen attentif, il distingua de minces fils dans le ciel, ici et là ; comme des cheveux noirs très fins sur le fond blanc des cieux. Il ne les avait pas vus tout de suite et ne les avait remarqués qu'en voyant un objet ovale glisser devant les nuages. Il comprit que c'était un véhicule et qu'il ne volait pas mais était suspendu à un long câble horizontal. En suivant le câble des yeux, des deux côtés, il en remarqua d'autres. Il aperçut alors un autre véhicule, plus loin, et puis un autre plus éloigné encore. Le plus éloigné n'était qu'un minuscule point indistinct dont la nature ne se devinait que grâce aux deux autres.

Indiscutablement, c'était une sorte de téléphérique pour le transport interne, d'une partie de l'Institut de Robotique à une autre.

Comme c'est étendu! pensa Baley. Comme l'Institut occupe inutilement un espace immense!

Et cependant, il n'en couvrait pas toute la surface. Les bâtiments étaient suffisamment dispersés pour que le paysage paraisse intact et que la faune et la flore continuent de vivre (supposa Baley) à l'état sauvage.

Il se rappelait Solaria qui était si vide, désert. Tous les mondes spatiens devaient être vides, sans aucun doute, puisque Aurora, le plus peuplé, était désert même là, dans la région la plus construite de la planète. D'ailleurs, même sur Terre, en dehors des Villes, tout était désert.

Mais là-bas, il y avait les Villes et Baley éprouva une brusque nostalgie qu'il s'empressa de chasser.

— Ah, l'Ami Giskard a terminé son inspection, dit Daneel.

Giskard revenait et Baley lui demanda avec agacement :

— Alors? Vas-tu avoir l'extrême obligeance de m'autoriser...

Mais il s'interrompit. Pourquoi gaspiller des sarcasmes sur la carcasse impénétrable d'un robot?

— Il semble tout à fait certain que la Personnelle est inoccupée, déclara Giskard.

— Bien! Alors, laissez-moi descendre!

Baley ouvrit la portière de l'aéroglisseur et mit le

32

pied sur le gravier de l'étroit sentier. Il marchait rapidement, suivi par Daneel.

Quand ils arrivèrent à la porte, Daneel indiqua d'un geste le contact qui l'ouvrait, mais sans y toucher lui-même. Sans doute, pensa Baley, y toucher sans instructions particulières aurait signifié une intention d'entrer, et cette simple intention était interdite.

Baley appuya sur le contact et entra, laissant les deux robots dehors.

Ce fut seulement alors que Baley se rendit compte que Giskard n'avait pas pu pénétrer dans la Personnelle pour s'assurer qu'elle était inoccupée et que le robot avait dû juger uniquement sur l'aspect extérieur... une procédure douteuse dans le meilleur des cas.

Et, avec un certain malaise, Baley s'aperçut que, pour la première fois, il était isolé et séparé de ses protecteurs et que ces protecteurs, de l'autre côté de la porte, ne pourraient entrer facilement si jamais il se trouvait soudain en difficulté. Et s'il n'était pas seul, en ce moment ? Si quelque ennemi avait été averti par Vasilia, qui savait qu'il cherchait une Personnelle, et si cet ennemi se cachait là ?

Baley s'aperçut aussi, avec inquiétude, qu'il était absolument désarmé (ce qui n'aurait jamais été le cas sur la Terre).

46

Certes, le bâtiment n'était pas grand. Il y avait de petits urinoirs, côte à côte, environ six ou sept, et autant de lavabos alignés. Pas de douches, pas de vestiaires ni de cabines à nettoyage automatique des vêtements, pas de quoi se raser.

Les cabines existantes, une demi-douzaine en tout,

étaient séparées par des cloisons et chacune avait une porte. Quelqu'un pourrait se cacher dans l'une d'elles, l'attendant...

Les portes ne descendaient pas jusqu'au sol. Sans faire de bruit, Baley se baissa et jeta un coup d'œil sous chacune d'elles, pour voir s'il apercevait des jambes. Puis il ouvrit chaque porte avec prudence, prêt à la claquer au moindre signe de danger, avant de bondir vers la porte extérieure.

Toutes les cabines étaient vides.

Il regarda autour de lui, pour s'assurer qu'il n'y avait pas d'autres cachettes.

Il n'en vit aucune.

En retournant vers la porte extérieure, il constata qu'il n'y avait pas de verrou. L'impossibilité de s'enfermer lui parut assez naturelle, à la réflexion. La Personnelle était évidemment destinée à être utilisée par plusieurs hommes à la fois. Donc, d'autres devaient pouvoir entrer.

Cependant, Baley ne pouvait guère partir et en essayer une autre, car le même danger existerait dans n'importe laquelle.

Pendant un moment il hésita, incapable de savoir quel urinoir employer. Pour la première fois de sa vie, il en avait plusieurs à sa disposition, sans rien qui indiquât lequel était le sien. Il pouvait choisir n'importe lequel.

Ce manque d'hygiène le révolta. Il eut la vision de plusieurs personnes arrivant à la fois, se servant indifféremment des diverses commodités, se bousculant. Il en avait la nausée et pourtant la nécessité l'obligeait à faire de même.

Il se força à faire un choix et puis, conscient d'être totalement à découvert, il fut en butte à une vessie récalcitrante. Le besoin devenait de plus en plus pressant mais il dut néanmoins attendre que l'appréhension se dissipe.

Il ne craignait plus l'arrivée d'ennemis mais simplement l'entrée intempestive de n'importe qui.

Finalement, il se dit que les robots retiendraient au moins un moment toute personne désireuse d'entrer.

Cette pensée réussit à le détendre...

Il avait fini et se sentit immensément soulagé. Il était sur le point de se retourner vers un lavabo quand il entendit une voix, modérément haut perchée et assez tendue, qui demandait :

— Etes-vous Elijah Baley ?

Il se figea. Malgré toute sa vigilance, il n'avait entendu personne entrer. Apparemment, il avait été complètement absorbé par le simple plaisir de vider sa vessie, alors que, en temps normal, cela n'aurait pas dû distraire un instant son attention ! (Se faisait-il vieux ?)

La voix n'avait certes rien de redoutable. Elle ne contenait aucune menace. Baley était d'ailleurs certain que Daneel au moins, sinon Giskard, n'aurait pas laissé entrer quelqu'un de menaçant.

Ce qui l'inquiétait, c'était l'intrusion. Jamais, il n'avait été abordé — et encore moins interpellé — dans une Personnelle. Sur la Terre, c'était un tabou, et à Solaria (et jusqu'alors à Aurora), il n'avait utilisé que des édicules à une personne.

La voix reprit, plus impatiente :

— Répondez ! Vous devez être Elijah Baley !

Lentement, il se retourna. Il vit un homme de taille moyenne, élégamment habillé de vêtements bien coupés de diverses teintes de bleu. L'inconnu avait la peau claire, des cheveux blonds et une petite moustache un peu plus foncée que les cheveux. Baley regarda avec fascination ces quelques poils sur la lèvre supérieure. C'était la première fois qu'il voyait un Spatien avec une moustache.

Un peu honteux de parler dans une Personnelle, il répondit :

— Oui, je suis Elijah Baley.

Sa voix, même à ses propres oreilles, lui parut sourde.

Indiscutablement, le Spatien ne la trouva pas

convaincante. Examinant Baley d'un air sceptique, il
répliqua :

— Les robots, près de la porte, m'ont dit qu'Elijah
Baley était là, mais vous ne ressemblez pas du tout à ce
que vous étiez en hypervision. Pas du tout.

Cette maudite dramatique ! pensa Baley avec rage. Il
ne pouvait rencontrer personne, même au bout des
mondes, qui n'eût été marqué par cette ridicule représen-
tation de lui-même. Personne n'acceptait de le
considérer comme un être humain tout simple, un mortel faillible et, en découvrant qu'il l'était, déçus, ils le
prenaient pour un imbécile.

Avec mauvaise humeur, il se tourna vers le lavabo et
fit couler l'eau sur ses mains, puis il les secoua vaguement en se demandant où était le jet d'air chaud. Le
Spatien effleura un contact et parut cueillir dans le
vide un bout de tissu absorbant.

— Merci, marmonna Baley. Ce n'est pas moi que
vous avez vu en hypervision mais un acteur qui jouait
mon rôle.

— Je sais, mais ils auraient pu en choisir un qui
vous ressemble davantage, il me semble, dit le Spatien
avec un curieux ressentiment. Je veux vous parler.

— Comment avez-vous passé la barrière de mes
robots ?

C'était là, apparemment, un autre sujet de ressentiment.

— J'ai eu du mal ! s'exclama le Spatien. Ils ont voulu
m'arrêter et je n'avais qu'un robot avec moi. J'ai dû
prétendre que je devais entrer de toute urgence, et ils
m'ont *fouillé* ! Ils ont osé porter les mains sur moi pour
savoir si je détenais un objet dangereux. Je déposerais
une plainte contre vous, si vous n'étiez pas un Terrien.
Vous n'avez pas le droit de donner à des robots des
ordres qui peuvent embarrasser un être humain.

— Je regrette, répliqua sèchement Baley, mais ce
n'est pas moi qui ai donné ces ordres. Que me voulez-
vous ?

— Je voulais vous parler.

— Vous me parlez en ce moment... Qui êtes-vous ?
L'autre hésita un instant, puis il répondit :
— Gremionis.
— Santirix Gremionis ?
— C'est ça.
— Pourquoi voulez-vous me parler ?
Pendant un moment, Gremionis regarda fixement Baley, d'un air un peu gêné, puis il marmonna :
— Eh bien, puisque je suis là... si ça ne vous fait rien... je pourrais en profiter...
Et il se tourna vers la rangée d'urinoirs.
Baley comprit, avec un malaise mêlé de répulsion. Il se détourna vivement et dit :
— Je vous attendrai dehors.
— Non, non, ne partez pas, protesta désespérément Gremionis d'une voix affolée. Ça ne prendra qu'une seconde. Je vous en prie !
Ce fut uniquement parce qu'il souhaitait tout aussi désespérément parler à Gremionis — et surtout ne pas l'offenser de peur qu'il refuse de répondre — que Baley accepta d'accéder à sa requête.
Il garda le dos tourné et ferma les yeux dans un réflexe de pudeur outragée. Il ne se détendit, plus ou moins, que lorsque Gremionis revint vers lui en s'essuyant les mains sur une serviette absorbante.
— Pourquoi voulez-vous me parler ? répéta-t-il.
— Gladia, la Solarienne...
Gremionis hésita et se tut.
— Oui, je connais Gladia, dit impatiemment Baley.
— Gladia m'a visionné — à la télévision, vous savez ? — et m'a dit que vous aviez posé des questions sur moi et elle m'a demandé si j'avais, d'une façon ou d'une autre... maltraité un robot qu'elle possédait... un robot à l'aspect humain, comme un de ceux qui sont dehors...
— Et alors ? L'avez-vous fait, monsieur Gremionis ?
— *Non !* Je ne savais même pas qu'elle possédait un tel robot, avant que... Vous lui avez dit que je le savais ?
— Je n'ai fait que poser des questions.
Gremionis serra son poing droit et le tourna nerveu-

sement dans sa main gauche. Il reprit, d'une voix crispée :

— Je ne veux pas être accusé à tort de quoi que ce soit... et surtout pas quand une telle accusation risque de compromettre mes rapports avec Gladia.

— Comment m'avez-vous découvert? demanda Baley.

— Elle m'a interrogé à propos de ce robot, elle m'a dit que vous vous étiez renseigné sur moi et, par ailleurs, j'avais appris que le Dr Fastolfe vous avait fait venir à Aurora pour résoudre ce... cette énigme... au sujet du robot. C'était au journal en Hyperonde. Et...

Ses phrases étaient entrecoupées, comme s'il s'arrachait les mots avec difficulté.

— Continuez, dit Baley.

— Il fallait que je vous parle, que je vous explique que je n'avais rien à voir avec ce robot. *Rien!* Gladia ne savait pas où vous étiez mais j'ai pensé que le Dr Fastolfe pourrait me le dire.

— Alors vous lui avez téléphoné?

— Oh non, je... je n'aurais pas eu l'aplomb de... C'est un savant si prestigieux! Mais Gladia l'a appelé pour moi. Elle... elle est comme ça. Il lui a dit que vous étiez allé voir sa fille, le Dr Vasilia Aliena. C'était une chance, puisque je la connais.

— Oui, je le sais.

Gremionis parut mal à l'aise.

— Comment... Est-ce que vous lui avez aussi posé des questions sur moi? (Sa gêne devenait de l'inquiétude.) Finalement, j'ai appelé le Dr Vasilia et elle m'a dit que vous veniez de partir et que je vous trouverais probablement dans une Personnelle communautaire, et celle-ci était la plus voisine de son établissement. J'étais sûr que vous n'auriez aucune raison d'attendre d'en trouver une plus éloignée.

— Bien raisonné, mais comment se fait-il que vous soyez arrivé si vite?

— Je travaille à l'Institut de Robotique et mon établissement se trouve dans l'enceinte de l'Institut. Mon scooter m'a amené ici en quelques minutes.

— Vous êtes venu seul ?

— Oui ! Avec un seul robot. Le scooter n'a que deux places.

— Et votre robot attend dehors ?

— Oui.

— Répétez-moi pourquoi vous vouliez me voir.

— Je tiens à m'assurer que vous ne pensez pas que j'aie rien à voir avec ce robot. Jamais je n'en avais seulement entendu parler avant que cette affaire éclate au grand jour. Alors, maintenant, puis-je vous parler ?

— Oui, mais pas ici, répliqua fermement Baley. Sortons.

Il trouva bizarre d'éprouver tant de plaisir à quitter des murs et à se retrouver à l'Extérieur. Cette Personnelle avait quelque chose de plus étranger que tout ce qu'il avait connu tant sur Aurora que sur Solaria. Il était moins déconcerté par l'usage sans discrimination qu'on en faisait que par l'horreur d'être abordé là.

Les livres-films qu'il avait visionnés ne lui avaient rien appris de cela. Il comprenait qu'ils n'avaient pas été écrits pour des Terriens mais pour des Aurorains et, dans une moindre mesure, pour des touristes des quarante-neuf autres mondes spatiens. Les Terriens, après tout, n'allaient presque jamais dans les mondes spatiens, et moins encore à Aurora. Ils n'y étaient pas les bienvenus, alors pourquoi se serait-on adressé à eux ?

Et pourquoi les livres-films auraient-ils expliqué ce que tout le monde savait ? Devaient-ils faire toute une histoire du fait qu'Aurora était de forme sphérique ou que l'eau était mouillée, ou qu'il soit licite d'adresser librement la parole à un homme dans une Personnelle ?

Et pourtant, cette liberté ne ridiculisait-elle pas le nom même de l'édicule ? Malgré tout, Baley ne put s'empêcher de penser aux Personnelles des Dames, sur Terre, où comme le lui avait souvent dit Jessie, les femmes bavardaient constamment sans en éprouver la moindre gêne. Pourquoi les femmes et pas les hommes, après tout ? Baley n'y avait jamais réfléchi sérieusement, il avait tout simplement accepté cet usage — un usage inviolable — mais dans le fond, pourquoi les femmes et pas les hommes ?

Cela n'avait pas grande importance. La pensée ne touchait que son intellect et non le sentiment qui lui faisait éprouver une inexprimable répulsion pour cette idée. Il répéta :

— Scrtons.

Gremionis protesta.

— Mais vos robots sont là, dehors !

— Et alors ? Qu'est-ce que ça peut faire ?

— Il s'agit d'une chose dont je veux parler en particulier, d'homme à... à homme.

— Je suppose que vous voulez dire de Spatien à Terrien ?

— Si vous voulez.

— Mes robots sont nécessaires. Ils sont mes collègues, dans cette enquête.

— Mais cela n'a rien à voir avec l'enquête. C'est ce que j'essaye de vous expliquer.

— Permettez-moi d'en être seul juge, déclara Baley avec fermeté, et il sortit.

Gremionis hésita, puis il le suivit.

47

Daneel et Giskard attendaient, impassibles, patients. Baley crut discerner sur la figure de Daneel une trace d'inquiétude mais il se pouvait qu'il attribue simplement cette émotion à ses traits faussement humains. Giskard ne révélait rien, bien entendu, même avec le plus fort penchant pour l'anthropomorphisme.

Un troisième robot attendait aussi, probablement celui de Gremionis. Il était d'une apparence encore plus simple que Giskard et paraissait assez mal entretenu. De toute évidence, Gremionis ne devait pas être très riche.

Daneel dit, avec ce que Baley prit automatiquement pour du soulagement et de l'affection :

— Je suis heureux que vous alliez bien, camarade Elijah.

— Très bien. Je suis curieux, cependant. Si vous m'aviez entendu appeler au secours, à l'intérieur, seriez-vous entrés ?

— Immédiatement, monsieur, répondit Giskard.

— Même si vous êtes programmés pour ne pas entrer dans une Personnelle ?

— La nécessité de protéger un être humain, en l'occurrence vous, monsieur, passerait avant tout.

— C'est exact, camarade Elijah, confirma Daneel.

— Je suis bien aise de l'apprendre, dit Baley. Cette personne est Santirix Gremionis. Monsieur Gremionis, voici Daneel et voici Giskard.

Chaque robot inclina gravement la tête. Gremionis leur jeta à peine un coup d'œil et leva une main indifférente. Il ne présenta pas son robot.

Baley regarda de tous côtés. Le jour avait nettement baissé, le vent était plus vif, l'air plus frais et le soleil complètement caché par des nuages. Tout le paysage était plongé dans une pénombre qui n'inquiéta pas du tout Baley; il continuait d'être enchanté d'avoir échappé à la Personnelle. Son moral monta en flèche à la pensée stupéfiante qu'il était capable de se féliciter d'être à l'Extérieur. C'était un cas particulier, bien sûr, mais tout de même un commencement et il ne pouvait se retenir de considérer cela comme une victoire.

Baley allait se tourner vers Gremionis pour reprendre la conversation quand, du coin de l'œil, il surprit un mouvement. Une femme, accompagnée par un robot, traversait la pelouse. Elle venait vers eux mais avec une totale indifférence et se dirigeait manifestement vers la Personnelle.

Baley tendit un bras vers elle, comme pour l'arrêter bien qu'elle fût encore à trente mètres, en marmonnant :

— Ne sait-elle pas que c'est une Personnelle pour hommes ?

— Quoi ? fit Gremionis.

La femme avançait toujours, sous les yeux de Baley de plus en plus perplexe. Finalement, le robot d'escorte se plaça d'un côté pour attendre et la femme entra dans l'édicule.

— Mais elle ne peut pas entrer là ! s'exclama Baley.

— Pourquoi ? s'étonna Gremionis. C'est communautaire.

— Mais c'est pour les hommes !

— C'est pour tout le monde, dit Gremionis, apparemment très dérouté.

— Pour les deux sexes ? Indifféremment ? Vous ne parlez pas sérieusement !

— Pour n'importe quel être humain. Bien sûr que je parle sérieusement ! Comment voudriez-vous que ce soit ? Je ne comprends pas.

Baley se détourna. Quelques minutes plus tôt, il trouvait que la conversation dans une Personnelle était le summum du mauvais goût. S'il avait cherché à imaginer quelque chose de pire, il aurait été bien en peine de concevoir la possibilité d'une rencontre avec une femme dans une Personnelle.

Et si, pendant qu'il était dans cette Personnelle, une femme était entrée — tout naturellement, avec indifférence — comme celle-ci venait de le faire ? Ou, pis encore, s'il y était entré et y avait trouvé une femme ?

Il ne pouvait pas imaginer sa réaction. Et de cela non plus, les livres-films n'avaient pas parlé !

Il les avait étudiés afin de ne pas commencer son enquête dans l'ignorance totale de la manière de vivre auroraine... et ces lectures ne lui avaient rien laissé entrevoir de ce qui était important.

Alors comment pourrait-il démêler l'écheveau embrouillé de la mort de Jander, si à tout instant il se trouvait égaré par son ignorance?

Un instant plus tôt, il s'était senti triomphant, heureux d'avoir vaincu sa terreur de l'Extérieur, mais à présent il affrontait le drame de tout ignorer, d'ignorer jusqu'à la nature même de son ignorance.

Ce fut à ce moment, alors qu'il faisait des efforts pour ne pas imaginer la femme dans cet espace si récemment occupé par lui-même, qu'il faillit sombrer dans le désespoir total.

48

Giskard demanda encore une fois (et d'une façon qui trahissait son souci, plus par les mots que par le ton de la voix) :

— Vous ne vous sentez pas bien, monsieur? Avez-vous besoin d'aide?

— Non, non, je vais très bien, grogna Baley. Mais ne restons pas là. Nous gênons les personnes qui voudraient utiliser ce lieu.

Il marcha rapidement vers l'aéroglisseur qui reposait sur la pelouse, près du sentier. De l'autre côté, il y avait un petit véhicule à deux roues, avec deux sièges l'un derrière l'autre. Baley supposa que c'était le scooter de Gremionis.

Son irritation et sa dépression étaient aggravées, il le sentait, par la faim. L'heure du déjeuner était passée depuis longtemps et il n'avait rien mangé. Il se tourna vers Gremionis.

— Causons... Mais, si cela ne vous fait rien, faisons cela à table. C'est-à-dire, si vous n'avez pas déjà déjeuné et si vous acceptez de vous asseoir avec moi.

— Où allez-vous manger?

— Je ne sais pas. Où prend-on ses repas à l'Institut ?

— Pas dans le Réfectoire communautaire. Nous ne pourrions pas y parler commodément.

— Y a-t-il un autre choix ?

— Venez à mon établissement, proposa aussitôt Gremionis. Ce n'est pas un des plus luxueux. Je ne suis pas d'un rang bien élevé. Malgré tout, j'ai quelques bons robots de service et je peux vous promettre une table assez bien garnie. Je vais prendre mon scooter, avec Brundij — c'est mon robot — et vous me suivrez. Il faudra que vous alliez lentement, mais ce n'est qu'à un kilomètre. Cela ne nous demandera que deux ou trois minutes.

Il s'éloigna en courant. Baley l'observa en se disant qu'il avait l'air d'un jeune garçon dégingandé, encore tout gauche. Il était difficile de lui donner un âge, naturellement; les Spatiens ne vieillissaient pas et Gremionis pouvait aisément avoir cinquante ans. Mais il avait un comportement très jeune, presque d'un adolescent selon les normes terriennes. Baley ne savait pas très bien ce qui lui donnait cette impression.

Il se tourna brusquement vers Daneel.

— Connais-tu Gremionis, Daneel ?

— Je ne l'avais encore jamais rencontré, camarade Elijah.

— Et toi, Giskard ?

— Je l'ai vu une fois, monsieur, mais seulement en passant.

— Sais-tu quelque chose de lui, Giskard ?

— Rien qui ne soit pas apparent à la surface, monsieur.

— Son âge ? Sa personnalité ?

— Non, monsieur.

— Prêts ? leur cria Gremionis.

Son scooter vrombissait assez irrégulièrement. Il était évident qu'il n'était pas assisté par des jets d'air comprimé. Les roues ne quitteraient pas le sol. Brundij était assis derrière Gremionis.

Giskard, Daneel et Baley remontèrent rapidement dans leur aéroglisseur.

Gremionis démarra et décrivit un cercle assez large. Ses cheveux volaient au vent derrière lui et Baley eut soudain la sensation de ce que cela devait être de voyager dans un véhicule découvert. Il fut heureux d'être complètement enfermé dans un aéroglisseur, qui lui paraissait une manière de se déplacer infiniment plus civilisée.

Le scooter se redressa et fila avec un grondement étouffé. Gremionis leva une main pour leur faire signe de le suivre. Derrière lui, le robot conservait son équilibre avec une parfaite aisance, sans se tenir à la taille de Gremionis comme l'aurait certainement fait un être humain.

L'aéroglisseur suivit. Le scooter avançait en droite ligne et paraissait aller très vite, mais ce ne devait être qu'une illusion produite par sa petite taille. L'aéroglisseur avait du mal à maintenir une allure assez réduite pour éviter de l'emboutir par-derrière.

— Malgré tout, murmura Baley, une chose m'étonne.

— Quoi donc, camarade Elijah?

— Vasilia appelait ce Gremionis un barbier, non sans mépris. Apparemment, il s'occupe de coiffure, de vêtements, et d'autres questions d'ornements vestimentaires humains. Comment se fait-il, donc, qu'il ait un établissement dans l'enceinte de l'Institut de Robotique?

XII

Encore Gremionis

49

Quelques minutes plus tard à peine, Baley se trouva dans le quatrième établissement aurorain qu'il voyait sur la planète depuis son arrivée, il n'y avait qu'un jour et demi.

Celui de Gremionis lui parut plus petit et plus modeste que les autres même s'il présentait, à l'œil de Baley peu accoutumé aux affaires auroraines, des signes de construction récente. La marque distinctive des établissements aurorains, les niches robotiques, était présente, cependant. En entrant, Giskard et Daneel allèrent rapidement se placer dans deux niches vides, où ils restèrent immobiles et silencieux. Le robot de Gremionis, Brundij, se dirigea presque aussi vivement vers une troisième.

Ils ne semblèrent avoir aucun mal à faire leur choix et rien n'indiquait qu'une niche plutôt qu'une autre fût réservée aux deux robots en visite. Baley se demanda comment les robots évitaient les conflits et pensa qu'il devait y avoir entre eux un quelconque moyen de communication par signes, non perceptible aux êtres humains. Il se promit de demander des précisions à Daneel à ce sujet.

Baley remarqua que Gremionis aussi examinait les niches.

Gremionis avait porté une main à sa lèvre supérieure et, pendant un instant, il caressa de l'index sa petite moustache. Il dit, d'une voix un peu hésitante :

— Votre robot, celui à l'aspect humain, n'a pas l'air à sa place, dans cette niche. C'est Daneel Olivaw, n'est-ce pas ? Le robot du Dr Fastolfe ?

— Oui. Il était dans la dramatique, lui aussi. Ou du moins un acteur jouait son rôle, qui avait davantage le physique de l'emploi.

— Oui, je me souviens.

Baley nota que Gremionis, comme Vasilia, et même comme Gladia et Fastolfe, gardait une certaine distance. On aurait dit qu'il y avait un champ de répulsion... invisible, intangible, que l'on ne sentait en aucune façon, qui entourait Baley et empêchait les Spatiens de s'approcher trop près de lui, qui les contraignait à faire un petit détour quand ils devaient passer près de lui.

Il se demanda si Gremionis en avait conscience ou si c'était purement automatique. Et que faisaient-ils des fauteuils dans lesquels il s'asseyait chez eux, des assiettes où il mangeait, des serviettes qu'il employait ? Est-ce qu'il suffisait de les laver ? Existait-il des procédures spéciales de désinfection ? Est-ce qu'ils jetteraient tout ? Les établissements seraient-ils désinfectés une fois qu'il aurait quitté la planète ? Et la Personnelle communautaire dont il s'était servi ? Allaient-ils la démolir et la reconstruire ?

Il se dit qu'il devenait stupide.

Tout cela était idiot. Ce que faisaient les Aurorains, comment ils se débrouillaient avec leurs problèmes, c'était leur affaire et il n'avait pas à s'en soucier. Par Josaphat ! Il avait bien assez de ses propres problèmes et, pour le moment, l'épine dans le pied était Gremionis... et Baley se dit qu'il s'occuperait de ça après le déjeuner.

Ce déjeuner fut assez simple, principalement végétarien mais, pour la première fois, Baley n'eut pas de difficultés. Chaque chose en soi était facile à reconnaître. Les carottes avaient un goût de carottes plutôt prononcé, les petits pois de petits pois, pour ainsi dire.

Un peu trop, sans doute.

Il mangea du bout des lèvres, en essayant de ne pas montrer son léger dégoût.

Bientôt, il s'aperçut qu'il s'y habituait... comme si ses papilles saturées lui permettaient d'absorber plus facilement les goûts excessifs. L'idée lui vint, assez tristement, que s'il continuait de manger longtemps de la cuisine auroraine, à son retour sur la Terre il regretterait ces nettes différences de saveur et ne saurait plus apprécier celles des nourritures terrestres plus faibles et plus nuancées.

Même la consistance croustillante de divers mets, qui l'avait tant surpris au début, chaque fois qu'en mordant il faisait un bruit qui devait sûrement (pensait-il) gêner la conversation, commençait à lui plaire, comme s'il avait là une preuve manifeste qu'il était bien en train de manger. Quand il retrouverait le silence des repas de la Terre, il lui manquerait quelque chose.

Il se mit à faire attention à ce qu'il absorbait, à étudier les divers goûts. Peut-être, quand les Terriens s'établiraient sur d'autres mondes, cette nourriture à la mode d'Aurora serait la caractéristique de la nouvelle alimentation, surtout s'il n'y avait pas de robots pour préparer et servir les repas.

Non, se reprit-il, pas « quand » mais « si » les Terriens s'établissaient sur d'autres mondes, et ce grand « si » dépendait uniquement de lui, de l'inspecteur Elijah Baley. Le fardeau d'une telle responsabilité l'accabla.

Le repas terminé, deux robots apportèrent des serviettes chaudes et humides, avec lesquelles les convives se nettoyèrent les mains. Mais celles-ci n'étaient pas des serviettes ordinaires car, lorsque Baley posa la sienne sur le plateau elle parut bouger légèrement et s'étirer. Puis, brusquement, elle bondit et disparut par un orifice, au plafond. Baley sursauta et leva les yeux.

— C'est quelque chose de nouveau que j'ai fait installer, expliqua Gremionis. Elles se désintègrent, vous voyez, mais je ne sais pas si ça me plaît. Certains me disent que ça ne tardera pas à boucher l'orifice de désagrégation, d'autres s'inquiètent de la pollution, en disant qu'on risque d'aspirer des particules. Le fabricant assure que non, mais...

Baley s'aperçut tout à coup que Gremionis n'avait pas prononcé un mot pendant le repas, que c'était la première fois que l'un ou l'autre parlait depuis ces quelques mots au sujet de Daneel avant que le déjeuner soit servi. Et il n'avait que faire de considérations oiseuses à propos de serviettes.

Il demanda, assez brutalement :

— Etes-vous barbier, monsieur Gremionis ?

Le jeune homme rougit et sa peau claire se colora jusqu'à la racine des cheveux. Il répondit d'une voix étranglée :

— Qui vous a dit ça ?

— Si c'est là une manière impolie de désigner votre profession, je vous fais mes excuses. Sur Terre, c'est une façon de parler courante, et aucunement insultante.

— Je suis créateur capillaire et styliste. C'est une forme d'art reconnue. Je suis, en fait, un artiste.

Encore une fois, son index caressa sa moustache.

— J'ai remarqué votre moustache, dit gravement Baley. Est-il courant d'en porter à Aurora ?

— Non, pas du tout. J'espère lancer la mode. Prenez un visage masculin... Beaucoup peuvent être améliorés, virilisés, par l'emploi artistique de la barbe et de la moustache. Tout est dans le style, et cela fait partie de ma profession. On peut aller trop loin, naturellement. Dans le monde de Pallas, la barbe est chose courante mais on a l'habitude de la teindre de plusieurs couleurs. Chaque poil est teint séparément pour produire une sorte de mélange de nuances... Ça, c'est idiot. Ça ne dure pas, les couleurs s'altèrent avec le temps et c'est vraiment très laid. Mais même cela vaut mieux qu'un visage glabre, bien souvent. Rien n'est moins plaisant qu'un désert facial. C'est une expression à moi; je l'emploie dans mes conversations personnelles avec ma clientèle future, et cela a beaucoup de succès. Les femmes peuvent se passer d'ornements pileux, parce qu'elles les compensent par d'autres moyens. Dans le monde de Smitheus...

La voix basse, rapide, de Gremionis, son expression franche, produisaient un effet hypnotique, comme sa manière d'arrondir les yeux en fixant Baley avec une intense sincérité. Baley dut se secouer pour s'en libérer.

— Etes-vous roboticien, monsieur Gremionis? demanda-t-il.

Gremionis parut surpris et un peu décontenancé d'être ainsi interrompu en plein exposé.

— Roboticien?

— Oui. Roboticien.

— Non, non, pas du tout. J'emploie des robots, comme tout le monde, mais je ne sais pas ce qu'ils ont à l'intérieur... A vrai dire, je m'en moque.

— Mais vous vivez ici, dans l'enceinte de l'Institut de Robotique. Comment cela se fait-il?

— Pourquoi n'y vivrais-je pas?

La voix de Gremionis était nettement plus hostile.

— Si vous n'êtes pas roboticien...

— C'est stupide! L'Institut, quand il a été conçu il y a quelques années, devait être une communauté se suffisant à elle-même. Nous avons nos propres ateliers de réparation de véhicules de transport, nos propres ateliers d'entretien des robots, nos propres structuralistes. Notre personnel habite ici et si on a besoin d'un artiste, il y a Santirix Gremionis et je vis également ici. Y a-t-il quelque chose de répréhensible dans ma profession qui me l'interdirait?

— Je n'ai pas dit ça!

Gremionis se détourna avec un reste de mauvaise humeur que la protestation hâtive de Baley n'avait pas dissipée. Il appuya sur un bouton puis, après avoir examiné une bande rectangulaire multicolore, il fit un geste qui ressemblait singulièrement à des doigts qui pianotaient.

Une sphère tomba lentement du plafond et resta en suspens à un mètre au-dessus de leur tête. Elle s'ouvrit, comme une orange se séparant par quartiers, et un déploiement de couleurs apparut à l'intérieur, en même temps que se diffusait une sorte de musique douce. Les couleurs et les sons se mêlaient avec un tel art que Baley, contemplant avec stupéfaction ce spectacle, s'aperçut au bout d'un court moment qu'il avait du mal à distinguer les uns des autres.

Les fenêtres s'opacifièrent et les quartiers d'orange devinrent plus vifs.

— Trop vif? demanda Gremionis.

— Non, répondit Baley après une légère hésitation.

— C'est conçu pour l'ambiance et j'ai choisi une combinaison apaisante, qui nous permettra de parler plus facilement d'une manière civilisée, vous savez... Bon, si nous en venions au vif du sujet? ajouta Gremionis en changeant de ton.

Baley, non sans quelque difficulté, s'arracha à la contemplation de ce... (Gremionis ne lui avait pas donné de nom) et répondit :

— Si vous voulez. Je ne demande pas mieux.

— M'avez-vous accusé d'avoir eu quelque chose à faire avec l'immobilisation de ce robot, Jander?

— J'enquête simplement sur les circonstances de la fin de ce robot.

— Mais vous m'avez cité, en rapport avec cette fin... En fait, il y a un instant, vous me demandiez si j'étais roboticien. Je sais à quoi vous pensiez. Vous cherchiez à me faire avouer que je connais un peu la robotique, afin de pouvoir étayer votre hypothèse et me présenter comme le... le... *finisseur* du robot.

— Vous pourriez dire le tueur.

— Le tueur? On ne peut pas tuer un robot. Quoi qu'il en soit, je ne l'ai pas fait, je ne l'ai pas achevé, ou je ne l'ai pas tué, comme vous voudrez! Je vous l'ai dit, je ne suis pas roboticien. Je ne connais *rien* à la robotique. Comment pouvez-vous penser une seconde que...

— Je dois explorer toutes les pistes, étudier tous les rapports. Jander appartenait à Gladia, la Solarienne, et vous étiez très ami avec elle. Il y a un rapport.

— Cela pourrait être vrai de tous ses amis. Ce n'est pas un rapport.

— Etes-vous prêt à déclarer que vous n'avez jamais vu Jander, durant le temps qu'il vous est arrivé de passer dans l'établissement de Gladia ?

— Jamais ! Pas une seule fois !

— Vous ne saviez pas qu'elle avait un robot humaniforme ?

— *Non !*

— Elle ne vous a jamais parlé de lui ?

— Elle avait des robots dans tous les coins. Rien que des robots ordinaires. Elle n'a parlé d'aucun autre.

Baley haussa les épaules.

— Très bien. Je n'ai aucune raison — jusqu'à présent — de supposer que ce n'est pas la vérité.

— Alors dites-le à Gladia !

— Gladia a-t-elle une raison de penser autrement ?

— Naturellement ! Vous lui avez empoisonné l'esprit. Vous l'avez interrogée sur moi, dans ce contexte, et elle a supposé... elle a douté... Le fait est qu'elle m'a appelé ce matin et m'a demandé si j'avais eu quelque chose à voir avec ça. Je vous l'ai dit.

— Et vous avez nié ?

— Bien sûr que j'ai nié ! Et avec une grande force, parce que je n'ai *réellement* rien eu à voir dans cette affaire. Mais ce n'est pas convaincant si c'est moi qui le nie. Je veux que vous le fassiez, vous. Je veux que vous lui disiez que, à votre avis, je suis absolument innocent dans cette histoire. Vous venez de me dire que vous le pensiez et vous ne pouvez, sans la moindre preuve, détruire ma réputation. Je pourrais vous signaler.

— A qui ?

— Au Comité de Défense Personnelle. A la Législature. La directeur de cet Institut est un ami personnel du Président lui-même et je lui ai déjà envoyé un rapport complet sur cette affaire. Je n'attends pas, vous comprenez. J'agis !

Gremionis secoua la tête d'un air qui se voulait féroce, mais qui, avec la douceur naturelle de son visage, n'emportait pas la conviction.

— Ecoutez, reprit-il, nous ne sommes pas sur la Terre. Ici, nous sommes *protégés.* Là-bas, sur votre planète surpeuplée, les gens ne sont qu'autant de ruches, de fourmilières. Vous pouvez vous bousculer, vous étouffer les uns les autres, ça n'a pas d'importance. Une vie ou un million de vies... ça n'a pas d'importance.

Baley intervint en faisant un effort pour ne pas parler avec dédain.

— Vous lisez trop de romans historiques.

— J'en lis, bien sûr, et ils décrivent la Terre comme elle est. On ne peut avoir un milliard de gens sur un seul monde sans qu'il en soit ainsi... A Aurora, nous représentons chacun une vie *précieuse.* Nous sommes tous physiquement protégés, par nos robots, si bien qu'il n'y a jamais une seule agression, et moins encore un meurtre, sur Aurora.

— Sauf dans le cas de Jander.

— Ce n'est pas un meurtre ! Ce n'était qu'un robot. Et nous sommes protégés par notre Législature contre d'autres maux que les agressions. Le Comité de Défense Personnelle considère d'un mauvais œil — d'un très mauvais œil — tout acte qui nuit injustement à une réputation, ou à la situation sociale de n'importe quel citoyen. Un Aurorain, agissant comme vous le faites, aurait beaucoup d'ennuis. Quant à un Terrien... ma foi...

— Je poursuis une enquête à la demande, je présume, de la Législature. Je ne pense pas que le Dr Fastolfe m'aurait fait venir ici sans une autorisation législative.

— C'est possible, mais cela ne vous donne pas le droit de dépasser les limites de l'investigation loyale.

— Allez-vous porter cela devant la Législature, alors ?

— Je vais demander au directeur de l'Institut...

— Au fait, comment s'appelle-t-il ?

— Kelden Amadiro. Je vais lui demander de porter cela devant la Législature — et il fait *partie* de la Législature, vous savez — c'est un des chefs du parti globaliste. Alors je pense que vous feriez mieux d'expliquer clairement à Gladia que je suis totalement innocent.

— Je ne demande pas mieux, monsieur Gremionis, car j'ai l'impression que vous devez l'être, mais comment puis-je changer cette impression en certitude, si vous ne me permettez pas de vous poser quelques questions ?

Gremionis hésita. Puis, avec méfiance, il s'appuya contre le dossier de sa chaise, en croisant les mains derrière son cou, sans réussir pour autant à paraître à l'aise.

— Posez toujours. Je n'ai rien à cacher. Et quand vous aurez fini, vous devrez appeler Gladia, là, par cet émetteur de télévision derrière vous, et lui dire ce que vous avez à lui dire, sinon vous aurez plus d'ennuis que vous ne pouvez l'imaginer.

— Je comprends. Mais d'abord... Depuis combien de temps connaissez-vous le Dr Vasilia Fastolfe ? Ou le Dr Vasilia Aliena, si vous la connaissez sous ce nom ?

Gremionis hésita, puis il répondit d'une voix tendue :

— Pourquoi me demandez-vous ça ? Quel rapport y a-t-il ?

Baley soupira et son expression amère s'accentua encore.

— Je vous rappelle, monsieur Gremionis, que vous n'avez rien à cacher et que vous devez me convaincre de votre innocence, afin que je puisse à mon tour en convaincre Gladia. Alors dites-moi simplement depuis quand vous connaissez le Dr Vasilia. Si vous ne la connaissez pas, dites-le, mais avant que vous disiez cela, il est juste que je vous prévienne que le Dr Vasilia a déclaré que vous la connaissiez très bien, assez bien, tout au moins, pour vous être offert à elle.

Gremionis parut chagriné et répondit, sur un ton mal assuré :

— Je ne sais pas pourquoi on fait tant de bruit autour de cela. Une offre est un usage social tout à fait naturel, qui ne regarde personne... Naturellement, vous êtes un Terrien, alors bien sûr vous en faites toute une histoire !

— J'ai cru comprendre qu'elle n'avait pas accepté votre offre.

Gremionis laissa tomber ses mains sur ses genoux, les poings crispés.

— Accepter ou refuser, c'était uniquement son affaire. Il y a des personnes qui se sont offertes à moi, que j'ai repoussées. C'est sans la moindre importance.

— Admettons. Depuis combien de temps la connaissez-vous ?

— Depuis des années. Une quinzaine d'années.

— Vous la connaissiez quand elle vivait encore avec le Dr Fastolfe ?

— Je n'étais qu'un petit garçon, dit Gremionis en rougissant.

— Comment avez-vous fait sa connaissance ?

— Quand j'ai terminé mes études d'artiste, j'ai été chargé de lui créer une garde-robe. Elle en a été contente et ensuite elle a eu recours à mes services, pour cela exclusivement.

— Est-ce sur sa recommandation que vous avez obtenu votre situation actuelle de — comment dire... — d'artiste officiel pour les membres de l'Institut de Robotique ?

— Elle a reconnu mes qualifications. J'ai été pris à l'essai, avec d'autres, et j'ai obtenu la place grâce à mes seuls mérites.

— Mais vous a-t-elle recommandé ?

Laconiquement, et avec agacement, Gremionis répliqua :

— Oui.

56

— Et vous avez estimé que le meilleur moyen de la remercier serait de vous offrir à elle ?

Gremionis fit une grimace et humecta ses lèvres comme s'il goûtait quelque chose de déplaisant.

— Ce que vous dites est... répugnant ! Je suppose que ce doit être la tournure d'esprit des Terriens. Mon offre signifiait simplement que j'avais du plaisir à la faire.

— Parce qu'elle est très séduisante et possède une personnalité chaleureuse ?

Gremionis hésita.

— Eh bien, non, on ne peut pas dire qu'elle ait une personnalité chaleureuse... mais il est certain qu'elle est très séduisante.

— Je me suis laissé dire que vous vous offriez à tout le monde, sans discrimination.

— Ce n'est pas vrai !

— Qu'est-ce qui n'est pas vrai ? Que vous vous offrez à tout le monde ou qu'on me l'ait dit ?

— Que je m'offre à tout le monde. Qui vous a raconté ça ?

— Je crois qu'il ne servirait à rien que je réponde à cette question. Voudriez-vous que je vous cite comme une source d'informations embarrassantes ? Me parleriez-vous librement, si vous pensiez que je le ferais ?

— Ma foi, celui ou celle qui vous a dit ça a menti.

— Ce n'était peut-être qu'une exagération spectaculaire. Vous êtes-vous offert à d'autres personnes, avant le Dr Fastolfe ?

Gremionis se détourna.

— Une ou deux fois. Jamais sérieusement.

— Mais vous pensiez sérieusement au Dr Fastolfe ?

— Ma foi...

— Si j'ai bien compris, vous vous êtes offert à elle à plusieurs reprises, ce qui est tout à fait contraire aux usages aurorains.

— Oh, vous savez, les usages aurorains... (Il s'interrompit, pinça les lèvres, et son front se plissa.) Ecoutez, monsieur Baley, est-ce que je peux vous parler confidentiellement ?

— Certainement. Toutes mes questions sont simplement destinées à me convaincre que vous n'êtes responsable en rien de la mort de Jander. Une fois que je serai satisfait de ce que vous me dites, soyez assuré que je garderai vos réflexions pour moi.

— Très bien, alors. Ce n'est rien de mal, rien dont je puisse avoir honte, comprenez-vous. Mais simplement, j'ai un sens profond de l'intimité personnelle et c'est bien mon droit, il me semble. Non ?

— Absolument.

— Eh bien, voyez-vous, j'estime que les rapports sexuels sont meilleurs quand il existe entre les partenaires une affection et un amour profonds.

— Je crois que c'est tout à fait vrai.

— Alors, on n'a pas besoin des autres, n'est-ce pas ?

— Cela me paraît... plausible.

— J'ai toujours rêvé de trouver la partenaire idéale et de ne plus rechercher personne d'autre. On appelle cela de la monogamie. Cette pratique n'existe pas à Aurora, mais elle existe dans d'autres mondes, sur Terre, il paraît. N'est-ce pas ?

— En principe, monsieur Gremionis.

— C'est ça que je veux. C'est ce que je cherche depuis des années. Au cours de mes quelques expériences sexuelles, j'ai compris qu'il manquait quelque chose. Et puis j'ai fait la connaissance du Dr Vasilia et elle m'a dit... Vous savez, les gens se confient facilement à leur styliste personnel, parce qu'ils font un travail très personnel, et voici la partie vraiment confidentielle...

— Eh bien ? Je vous écoute.

Gremionis s'humecta encore les lèvres.

— Si ce que je vais dire maintenant se savait, je serais ruiné, détruit. Elle ferait tout pour cela, pour que je n'aie plus une seule commande. Etes-vous bien sûr que cela ait un rapport avec l'affaire ?

— Je vous affirme, avec le plus de force que je peux, que cela peut être d'une importance capitale.

Gremionis ne parut pas entièrement convaincu mais il se lança tout de même :

— Eh bien, voilà. Je crois avoir compris, d'après certaines bribes de confidences, diverses choses que le Dr Vasilia m'a dites que... qu'elle est... (et il baissa la voix de plusieurs tons) qu'elle est encore vierge.

— Je vois, murmura Baley.

Il se rappela la certitude qu'avait Vasilia que son père en la refusant avait marqué et perverti sa vie et il comprit mieux la haine qu'elle ressentait pour lui.

— Cela m'a excité. Il me semblait que je pourrais l'avoir toute à moi. Que je serais le seul homme qu'elle aurait jamais. Je ne peux pas expliquer l'importance que cela avait pour moi. Cela la rendait encore plus merveilleusement belle à mes yeux et je la désirais comme un fou.

— Vous vous êtes donc offert à elle.

— Oui.

— Avec insistance. Vous n'étiez pas découragé par ses refus ?

— Ça ne faisait que confirmer sa virginité, pour ainsi dire, et augmentait mon désir. C'était d'autant plus excitant que ce n'était pas facile. Je ne peux pas vous l'expliquer et je n'espère pas que vous le comprendrez.

— Figurez-vous, monsieur Gremionis, que je le comprends très bien... Mais il me semble qu'un moment est venu où vous avez cessé de vous offrir au Dr Vasilia ?

— Eh bien... oui.

— Et vous avez commencé à vous offrir à Gladia.

— Oui.

— Avec insistance.

— Eh bien, oui.

— Pourquoi ? Pourquoi ce changement ?

— Le Dr Vasilia a fini par me faire comprendre que je n'avais aucune chance et puis Gladia est arrivée, elle ressemblait au Dr Vasilia et... et... Et voilà.

— Mais Gladia n'est pas vierge. Elle était mariée, sur Solaria. Et il paraît qu'elle a eu pas mal d'expériences, sur Aurora.

— Je sais, mais elle... elle s'est arrêtée. Vous comprenez, elle est solarienne, pas auroraine, et elle ne comprenait pas très bien les usages d'ici. Mais elle a cessé, parce qu'elle n'aimait pas ce qu'elle appelait la débauche.

— Elle vous a dit ça?

— Oui. La monogamie est d'usage à Solaria. Elle n'était pas heureuse en ménage mais c'était malgré tout la coutume à laquelle elle était habituée. Alors, quand elle a essayé les usages aurorains, ils ne lui ont pas plu, et justement, la monogamie c'est ce que je recherche aussi. Vous comprenez?

— Oui. Mais comment avez-vous fait sa connaissance?

— Comme ça, simplement. Elle est passée en hypervision à son arrivée, en réfugiée romanesque de Solaria, et puis elle jouait un rôle dans cette dramatique...

— Oui, oui, mais il y avait autre chose, n'est-ce pas?

— Je ne sais pas ce que vous voulez encore.

— Eh bien, voyons un peu, que je devine. Est-ce qu'un moment n'est pas venu où le Dr Vasilia vous a dit qu'elle vous refusait à jamais, et ne vous a-t-elle pas alors suggéré une solution de remplacement?

Gremionis, soudain furieux, hurla:

— C'est le Dr Vasilia qui vous a dit ça?

— Non, pas du tout, mais malgré tout, je crois savoir ce qui s'est passé. Est-ce qu'elle ne vous a pas dit que ce serait une bonne idée de rendre visite à une nouvelle venue, une jeune Solarienne qui était la pupille ou la protégée du Dr Fastolfe... lequel, vous le savez sans doute, est le père du Dr Vasilia. Ne vous aurait-elle pas dit que de l'avis de tous, cette jeune femme, Gladia, lui ressemblait beaucoup mais qu'elle était plus jeune et avait une personnalité chaleureuse? En un mot, est-ce que le Dr Vasilia ne vous a pas encouragé à transférer vos attentions?

Visiblement, Gremionis souffrait. Il jeta un coup d'œil à Baley et se détourna. C'était la première fois

60

que Baley voyait de la peur au fond des yeux d'un Spatien... Ou bien était-ce de la crainte respectueuse?

Baley secoua imperceptiblement la tête, en se disant qu'il ne devait pas trop se glorifier d'avoir impressionné un Spatien. Cela risquait de compromettre son objectivité.

— Eh bien? demanda-t-il. Ai-je tort ou raison?

Et Gremionis répondit à voix basse :

— Ainsi, cette dramatique n'était pas une exagération... Vous êtes vraiment capable de lire dans les pensées!

50

Baley reprit, calmement :

— Je me contente de poser des questions... Et vous ne m'avez pas répondu directement. Ai-je tort ou raison?

— Ça ne s'est pas passé tout à fait comme ça. Pas tout simplement comme ça. Elle n'a pas parlé de Gladia mais... (Il se mordilla la lèvre inférieure.) Mais ça se résumait à peu près à ce que vous avez dit. Oui, vous ne l'avez pas si mal décrit.

— Et vous n'avez pas été déçu? Vous avez trouvé que Gladia ressemblait effectivement au Dr Vasilia?

— Dans un sens, oui, répondit Gremionis, et ses yeux s'animèrent. Mais pas vraiment. Si vous les mettez côte à côte, vous verrez la différence. Gladia a beaucoup plus de délicatesse et de grâce. Un esprit bien plus vif... plus gai.

— Vous êtes-vous offert à Vasilia, depuis que vous avez fait la connaissance de Gladia?

— Etes-vous fou? Jamais de la vie!

— Mais vous vous êtes offert à Gladia.

— Oui.

— Et elle vous a repoussé?

— Eh bien... oui, mais vous devez comprendre qu'elle voulait être sûre, comme je veux l'être aussi. Pensez à l'erreur que j'aurais commise si j'avais persuadé le Dr Vasilia de m'accepter. Gladia ne veut pas commettre cette erreur et je la comprends.

— Mais vous, vous ne pensiez pas qu'elle aurait tort de vous accepter, alors vous vous êtes offert encore une fois... puis deux... puis trois...

Pendant un moment, Gremionis regarda fixement Baley et puis un frisson le parcourut. Il fit une moue d'enfant récalcitrant.

— Vous dites cela d'une manière insultante...

— Excusez-moi. Je n'avais aucune intention de vous insulter. Répondez à ma question, s'il vous plaît.

— Eh bien, oui, c'est vrai.

— Combien de fois vous êtes-vous offert?

— Je n'ai pas compté. Quatre fois. Ou cinq. Ou peut-être plus.

— Et elle vous a toujours repoussé?

— Oui, bien sûr, sinon je n'aurais pas fait de nouvelles offres, n'est-ce pas?

— Vous repoussait-elle avec colère?

— Oh non! Ce ne serait pas Gladia. Non, très gentiment.

— Est-ce que cela vous a poussé à vous offrir à d'autres?

— Pardon?

— Quand Gladia vous a rejeté. Par réaction, vous auriez pu vous offrir à quelqu'un d'autre. Pourquoi pas? Si Gladia ne voulait pas de vous...

— *Non!* Je ne veux personne d'autre.

— Pourquoi, à votre avis?

Gremionis soupira.

— Comment voulez-vous que je sache pourquoi? Je veux Gladia. C'est un... une espèce de folie, encore que je pense que ce soit la folie la meilleure et la plus raisonnable. Je serais fou de ne pas souffrir de ce genre de folie... mais vous ne pouvez pas comprendre, bien sûr.

— Avez-vous essayé d'expliquer cela à Gladia ? Elle comprendrait peut-être, elle.

— Jamais. Je lui ferais de la peine. Je la gênerais. On ne parle pas de ces choses-là. Je devrais consulter un mentologue.

— Vous ne l'avez pas fait ?

— Non.

— Pourquoi ?

Gremionis fronça les sourcils.

— Vous avez le chic de poser les questions les plus indiscrètes, Terrien !

— Sans doute parce que je suis un Terrien. Je ne suis pas très raffiné. Mais je suis aussi un enquêteur et je dois être éclairé. Pourquoi n'avez-vous pas consulté un mentologue ?

Gremionis surprit Baley en éclatant de rire.

— Je vous l'ai dit. Le remède serait pire que le mal. Je préfère être repoussé par Gladia qu'accepté par n'importe quelle autre personne. Rendez-vous compte ! Avoir l'esprit dérangé et vouloir qu'il reste dérangé ! Tous les mentologues me soumettraient à un traitement intensif.

Baley réfléchit un moment, puis il demanda :

— Savez-vous si le Dr Vasilia est mentologue ?

— Elle est roboticienne. Il paraît que c'est ce qui s'en approche le plus. Si l'on sait comment fonctionne un robot, on doit savoir comment fonctionne le cerveau humain, du moins à ce qu'on dit.

— Avez-vous jamais pensé que Vasilia connaît ces singuliers sentiments que vous éprouvez pour Gladia ?

Gremionis se redressa.

— Je ne lui en ai jamais parlé... Du moins pas ouvertement.

— Ne serait-il pas possible qu'elle comprenne vos sentiments sans avoir à vous poser de questions ? Sait-elle que vous vous êtes offert plusieurs fois à Gladia ?

— Ma foi... Il est arrivé qu'elle me demande si je

progressais. Sur un plan strictement amical, vous savez. Je lui disais diverses choses. Rien d'intime.

— Vous êtes bien sûr qu'il n'y avait rien d'intime ? Elle vous a sûrement encouragé à persévérer, non ?

— C'est bizarre... Maintenant que vous en parlez, je vois les choses sous un autre jour. Je ne sais pas comment vous vous êtes arrangé pour me fourrer ça dans la tête. C'est vos questions, je suppose, mais il me semble maintenant qu'elle a bien continué à encourager mon amitié pour Gladia. Elle l'a activement soutenue. (Il parut soudain mal à l'aise.) Je ne m'en étais jamais rendu compte. Dans le fond, je n'y avais jamais pensé.

— Pourquoi croyez-vous qu'elle vous a encouragé à persister à vous offrir à Gladia ?

Gremionis fronça les sourcils et lissa machinalement sa moustache.

— Elle essayait peut-être de se débarrasser de moi ? De s'assurer que je ne viendrais plus l'importuner ? Ce n'est pas très flatteur pour moi, on dirait, ajouta-t-il avec un petit rire gêné.

— Est-ce que le Dr Vasilia vous a conservé son amitié ?

— Oh oui, tout à fait. Elle était même plus amicale, dans un sens.

— Vous a-t-elle conseillé, expliqué, comment mieux réussir auprès de Gladia ? Par exemple, en vous intéressant à ce qu'elle faisait, à son art ?

— Elle n'en avait pas besoin. Le travail de Gladia ressemble beaucoup au mien. Je m'occupe d'êtres humains et elle de robots mais nous sommes tous deux stylistes, artistes... Ça rapproche, vous savez. Parfois, nous nous entraidions, même. Quand je ne m'offrais pas, et que donc je n'étais pas repoussé, nous étions très bons amis... C'est beaucoup, si l'on veut bien y réfléchir.

— Est-ce que le Dr Vasilia vous a suggéré de vous intéresser davantage aux travaux du Dr Fastolfe ?

— Pourquoi l'aurait-elle suggéré ? J'ignore tout des travaux de Fastolfe.

— Gladia pourrait s'intéresser à ce que fait son bienfaiteur, et cela aurait été pour vous une façon de vous glisser dans ses bonnes grâces.

Gremionis ferma à demi les yeux. Il se leva, avec une violence presque explosive, marcha jusqu'au fond de la pièce, revint et se planta devant Baley.

— Vous... écoutez... une minute ! Je ne suis peut-être pas l'homme le plus intelligent de cette planète, ni même le second, mais je ne suis pas un fichu imbécile ! Je vois où vous voulez en venir, vous savez.

— Ah ?

— Toutes vos questions ont réussi à me faire plus ou moins avouer que c'est le Dr Vasilia qui m'a poussé à tomber amoureux... C'est ça ! s'exclama-t-il avec un certain étonnement. Je suis amoureux, comme dans les romans historiques...

Il réfléchit un instant, d'un air quelque peu stupéfait. Et puis sa colère revint.

— Qu'elle m'a poussé à tomber amoureux et à le rester, pour que je découvre des choses grâce au Dr Fastolfe et que j'apprenne comment immobiliser ce robot, Jander ?

— Et vous ne le croyez pas ?

— Non, pas du tout ! cria Gremionis. Je n'entends rien à la robotique. *Rien !* Même si la robotique m'était longuement expliquée, avec méthode, je n'y comprendrais rien. Et Gladia non plus, je pense. D'ailleurs, je n'ai jamais interrogé personne à ce sujet. Jamais personne, ni le Dr Fastolfe ni personne, ne m'a rien dit de la robotique. Personne n'a jamais suggéré que je m'occupe de robotique. Le Dr Vasilia ne l'a jamais suggéré. Toute votre foutue hypothèse s'effondre, elle ne vaut rien ! N'y pensez plus.

Il se rassit, croisa les bras et pinça les lèvres fortement. Sa petite moustache se hérissa.

Baley leva les yeux vers les quartiers d'orange qui bourdonnaient toujours leur légère mélodie, en diffusant une lumière aux couleurs changeantes et en se balançant doucement sur un rythme hypnotique.

Si l'éclat de Gremionis avait désorganisé l'attaque de Baley, il n'en montra rien.

— Je comprends ce que vous me dites, mais il n'en

reste pas moins vrai que vous voyez beaucoup Gladia, n'est-ce pas? demanda-t-il.

— Oui, c'est vrai.

— Vos offres répétées ne l'offensent pas et ses refus répétés ne vous offensent pas non plus?

Gremionis haussa les épaules.

— Mes offres sont polies. Ses refus n'ont rien d'agressif. Pourquoi serions-nous offensés?

— Mais comment passez-vous le temps, quand vous êtes ensemble? Les rapports sexuels sont exclus, manifestement, et vous ne parlez pas de robotique. Alors que faites-vous?

— Est-ce que la bonne compagnie se limite à ça, la sexualité ou la robotique? Nous faisons beaucoup de choses ensemble. Nous bavardons, d'abord. Elle est très curieuse d'Aurora et je passe des heures à décrire notre planète. Elle l'a très peu visitée, vous savez. Et elle passe des heures à me parler de Solaria, du trou infernal que c'est, apparemment. J'aimerais encore mieux vivre sur Terre, soit dit sans vous offenser. Et puis il y a son mari, qui est mort. Quel sale caractère il avait. Gladia a eu une triste vie.

» Nous allons au concert. Je l'ai emmenée quelques fois à l'Institut d'Art, et puis nous travaillons ensemble. Je vous l'ai dit. Nous examinons ensemble mes dessins, ou les siens. Pour être tout à fait franc, je ne trouve pas très intéressant de travailler sur des robots, mais à chacun ses idées, vous savez. Tenez, par exemple, elle était stupéfaite quand je lui ai expliqué pourquoi il était si important de couper les cheveux correctement... Les siens ne sont pas très bien coiffés... Mais, le plus souvent, nous nous promenons, à pied.

— A pied? Où donc?

— Sans but particulier. De simples promenades. C'est son habitude, c'est ainsi qu'elle a été élevée à Solaria. Etes-vous jamais allé à Solaria?... Oui, bien sûr, que je suis bête... A Solaria, il y a d'immenses propriétés avec un seul être humain ou deux, et à part ça rien que des robots. On peut faire des kilomètres à pied en restant solitaire, et Gladia me dit que cela vous donne l'impression que toute la planète vous appartient. Les robots sont toujours là, naturellement, pour vous surveiller et prendre soin de vous mais ils restent hors de vue et ici, à Aurora, elle regrette cette sensation de posséder le monde.

— En somme, elle aimerait posséder le monde ?

— Vous voulez dire par ambition, par goût du pouvoir ? C'est de la folie. Elle veut simplement dire que l'impression d'être seule avec la nature lui manque. J'avoue que je ne le comprends pas très bien, mais je ne veux pas la contrarier. Il est évident qu'on ne peut trouver à Aurora cette sensation solarienne de solitude. On rencontre fatalement du monde, surtout dans la zone urbaine d'Eos, et les robots ne sont pas programmés pour rester hors de vue. En fait, les Aurorains se déplacent en général avec des robots... Malgré tout, je connais des chemins agréables, pas trop encombrés, et Gladia les aime bien.

— Et vous ?

— Au début, seulement parce que j'étais avec Gladia. Les Aurorains sont grands marcheurs aussi, dans l'ensemble, mais je dois reconnaître que je ne le suis pas. Au commencement, mes muscles protestaient et Vasilia se moquait de moi.

— Elle était au courant de vos promenades, alors ?

— Eh bien, un jour, je suis arrivé en boitant, j'avais mal aux cuisses, les articulations qui craquaient et j'ai dû lui expliquer. Elle a ri en disant que c'était une bonne idée et que le meilleur moyen d'obtenir que les marcheurs acceptent vos offres, c'était de marcher avec eux. « Persévérez, disait-elle, et elle reviendra sur ses refus avant que vous ayez l'occasion de vous offrir encore une fois. Elle s'offrira d'elle-même. » Ce n'est pas arrivé, mais malgré tout j'ai fini par beaucoup aimer nos promenades.

Gremionis semblait avoir surmonté son emportement et il était tout à fait à l'aise. Peut-être pensait-il aux promenades, se dit Baley, car il avait un demi-sourire aux lèvres. Il avait l'air plutôt sympathique — et vulnérable — tandis qu'il se rappelait on ne sait quelles bribes de conversation au cours d'une promenade on ne sait où. Baley faillit sourire aussi.

— Vasilia sait donc que vous avez poursuivi ces promenades ?

— Sans doute. J'ai pris l'habitude de m'accorder les mercredis et les samedis, parce que cela convenait à l'emploi du temps de Gladia et parfois Vasilia plaisantait à ce sujet quand je lui apportais des croquis.

— Est-ce que le docteur Vasilia aime la marche ?

— Certainement pas.

Baley changea de position et contempla attentivement ses mains en disant :

— Je suppose que des robots vous accompagnaient dans vos promenades ?

— Oui, bien sûr. Un des miens, un des siens. Mais ils restaient plutôt à distance. Ils n'étaient pas sur nos talons, à la manière auroraine, comme dit Gladia. Elle disait qu'elle préférait la solitude solarienne, alors je ne demandais pas mieux que de lui faire plaisir. Encore qu'au début, j'attrapais un torticolis à force de me retourner pour voir si Brundij était toujours avec moi.

— Et quel robot accompagnait Gladia ?

— Ce n'était pas toujours le même. De toute façon, il se tenait à l'écart aussi. Je n'ai jamais eu l'occasion de lui parler.

— Et Jander ?

Aussitôt, la figure de Gremionis s'assombrit.

— Quoi, Jander ? grogna-t-il.

— Il n'est jamais venu, lui ? S'il était venu, vous l'auriez su, n'est-ce pas ?

— Un robot humaniforme ? Certainement. Il ne nous a jamais accompagnés. Jamais.

— Vous en êtes certain ?

— Absolument, répliqua Gremionis avec mauvaise humeur. Elle devait le trouver trop précieux pour le gaspiller en lui confiant des tâches à la portée de n'importe quel robot.

— Vous paraissez agacé. Vous le pensiez aussi ?

— C'était son robot. Je ne m'en souciais pas.

— Et vous ne l'avez jamais vu quand vous étiez chez Gladia ?

— Jamais.

— Vous a-t-elle parlé de lui ?

— Je ne m'en souviens pas.

— Vous ne trouvez pas ça bizarre ?

Gremionis secoua la tête.

— Non. Pourquoi aurions-nous parlé de robots ?

Les yeux sombres de Baley se fixèrent sur la figure du jeune homme.

— Aviez-vous une idée des rapports entre Gladia et Jander ?

— Vous voulez dire qu'il y en avait, entre eux ?

— Est-ce que cela vous surprendrait ?

— Ce sont des choses qui arrivent, marmonna Gremionis. Ce n'est pas insolite. On peut se servir d'un robot, parfois, si on en a envie. Et un robot humaniforme... totalement humaniforme, je crois...

— Totalement, affirma Baley.

Gremionis fit une grimace.

— Eh bien, dans ce cas, une femme aurait du mal à résister, je pense.

— Elle vous a résisté, à vous. Ça ne vous gêne pas que Gladia vous ait préféré un robot ?

— Ma foi, si on en arrive là... J'avoue avoir du mal à croire que ce soit vrai mais, si ça l'est, il n'y a aucune raison de s'en inquiéter. Un robot n'est qu'un robot. Une femme et un robot, ou un homme et un robot, ce n'est que de la masturbation.

— Très franchement, vous avez tout ignoré de ces rapports ? Vous n'avez jamais rien soupçonné ?

— Je n'y ai jamais pensé.

— Vous ne le saviez pas ? Ou bien vous le saviez mais n'y faisiez pas attention ?

Gremionis fronça les sourcils.

— Vous recommencez à insister. Que voulez-vous que je vous dise ? Maintenant que vous me mettez cette idée dans la tête, et que vous insistez, il me semble, avec le recul, que je me suis peut-être interrogé. Malgré tout, je n'ai jamais eu l'impression qu'il se passait quelque chose avant que vous vous mettiez à poser des questions.

— Vous en êtes bien sûr?

— Oui, j'en suis sûr. Ne me harcelez pas!

— Je ne vous harcèle pas. Je me demande simplement s'il est possible que vous ayez su que Gladia avait des rapports sexuels réguliers avec Jander, si vous saviez que jamais elle ne vous accepterait comme amant tant que cette liaison durerait, si vous la désiriez tant que vous auriez fait n'importe quoi pour éliminer Jander, en un mot, si vous étiez si jaloux que vous...

A ce moment Gremionis — comme si un ressort, tenu serré depuis plusieurs minutes, s'était brusquement détendu — se jeta sur Baley en poussant un grand cri. Baley, pris au dépourvu, eut un mouvement de recul instinctif et sa chaise bascula en arrière.

51

Immédiatement, des bras solides entourèrent Baley. Il se sentit soulevé. La chaise fut redressée et il eut conscience d'être soutenu par un robot. Il était facile d'oublier leur présence dans une pièce, quand ils se tenaient immobiles et silencieux dans leurs niches.

Ce n'était pas Daneel ni Giskard qui étaient venus à son secours, cependant. C'était Brundij, le robot de Gremionis.

— Monsieur, dit-il d'une voix un peu anormale, j'espère que vous ne vous êtes pas fait mal.

Mais où étaient Daneel et Giskard?

La réponse fut aussitôt donnée. Les robots s'étaient partagé le travail rapidement et intelligemment. Daneel et Giskard, estimant instantanément qu'une chaise renversée risquait moins de blesser Baley qu'un Gremionis enragé, s'étaient rués sur lui. Brundij, voyant tout de suite qu'on n'avait pas besoin de lui de ce côté, s'occupa de l'invité.

Gremionis, encore debout, haletant, était complètement immobilisé dans la double étreinte des robots de Baley.

— Je vous en prie, croyez-moi, murmura-t-il, je suis tout à fait maître de moi.

— Oui, monsieur, dit Giskard.

— Certainement, monsieur Gremionis, susurra aimablement Daneel.

Leur étreinte se relâcha mais ni l'un ni l'autre ne s'écarta. Gremionis regarda à droite et à gauche, lissa un peu ses vêtements et puis il alla se rasseoir. Sa respiration était encore rapide et il était plus ou moins décoiffé.

Baley s'était relevé et s'appuyait des deux mains sur le dossier de sa chaise.

— Excusez-moi de m'être laissé emporter, dit Gremionis. De toute ma vie d'adulte, cela ne m'est pas arrivé. Vous m'avez accusé d'être... jaloux. C'est un mot qu'aucun Aurorain qui se respecte n'emploierait à l'égard d'un autre, mais j'aurais dû me souvenir que vous êtes un Terrien. C'est un mot qu'on ne trouve que dans les romans historiques et, même alors, il est généralement écrit « j » suivi de points de suspension. Naturellement, il n'en est pas de même chez vous. Je le comprends.

— Je vous présente également mes excuses, répondit gravement Baley. Je suis navré que mon oubli des usages aurorains m'ait égaré. Je vous donne ma parole que cela ne m'arrivera plus.

Il se rassit et déclara sur un autre ton :

— Je crois que nous nous sommes tout dit...

Mais Gremionis parut ne pas l'entendre.

— Quand j'étais enfant, murmura-t-il, il m'arrivait de bousculer un camarade et d'être bousculé, et il fallait un moment avant que les robots prennent la peine de venir nous séparer, naturellement...

Daneel intervint :

— Si je puis me permettre d'expliquer, camarade Elijah. Il a été établi que la suppression totale de l'agressivité chez les très jeunes enfants a des conséquences peu souhaitables. Un peu de bagarre, une certaine compétitivité sont permises, et même encouragées, à la condition que personne ne se fasse vraiment mal. Les robots chargés des petits sont soigneusement programmés pour évaluer les risques et le degré de violence qui ne doit pas être dépassé. Moi, par exemple, je ne suis pas programmé en ce sens et je ne serais pas qualifié comme gardien de jeunes enfants, sauf en cas d'urgence et pour de brèves périodes. Giskard non plus.

— Ce genre de comportement agressif est réprimé durant l'adolescence, je suppose ? demanda Baley.

— Progressivement, répondit Daneel, à mesure que le degré du mal infligé risque d'augmenter et quand la nécessité de se contrôler devient plus indispensable.

— Quand je suis arrivé à l'âge des études secondaires, dit Gremionis, comme tous les Aurorains je savais déjà très bien que toute compétition se limitait à la comparaison des qualités mentales et du talent...

— Il n'y avait pas de compétitions physiques ?

— Si, bien sûr, mais seulement dans des activités n'entraînant pas de contact physique avec intention de blesser.

— Mais depuis votre adolescence...

— Je n'ai attaqué personne. Non, vraiment pas. Il m'est arrivé d'en avoir envie, c'est certain. Je suppose que dans le cas contraire, je ne serais pas entièrement normal, mais jusqu'à cet instant, j'ai toujours su me maîtriser. Mais aussi, jamais personne ne m'avait traité de... de ce que vous avez dit.

— D'ailleurs, il ne servirait à rien d'attaquer, si des robots sont là pour vous retenir, n'est-ce pas ? Je présume qu'il y a toujours un robot à deux pas, des deux côtés, pour l'agresseur et l'agressé.

— Certainement... Raison de plus pour que j'aie honte de m'être laissé aller. J'espère que vous n'aurez pas besoin de signaler cet incident dans la relation de votre enquête.

— Je vous assure que je n'en parlerai à personne. Cela n'a aucun rapport avec l'affaire qui nous occupe.

— Merci. Avez-vous dit que cette entrevue est terminée ?

— Je crois qu'elle l'est.

— Dans ce cas, voulez-vous faire ce que je vous ai demandé ?

— Quoi donc ?

— Dire à Gladia que je ne suis en rien responsable de l'immobilisation de Jander.

Baley hésita.

— Je lui dirai que telle est mon opinion.

— Je vous en prie, soyez plus catégorique ! Je veux qu'elle soit absolument certaine que je n'ai rien à voir avec ça et d'autant plus si elle avait de l'affection pour ce robot sur le plan sexuel. Je ne pourrais pas supporter qu'elle pense que j'étais j... j... Comme elle est solarienne, elle pourrait le penser.

— Oui, elle le pourrait, murmura Baley, tout songeur.

Gremionis parla alors rapidement et avidement :

— Je ne sais rien des robots et personne — ni le Dr Vasilia ni aucune autre personne — ne m'en a jamais parlé. Pour m'expliquer leur fonctionnement, je veux dire. Je n'avais absolument aucun moyen de détruire Jander.

Pendant un moment, Baley resta plongé dans ses pensées. Puis il dit, comme à contrecœur :

— Je ne puis m'empêcher de vous croire. Il est certain que je ne sais pas tout et il est possible — je dis cela sans vouloir vous offenser — que vous mentiez, le Dr Vasilia ou vous. Je sais étonnamment peu de chose sur la nature intime de la société auroraine et il est sans doute facile de m'abuser. Et, pourtant, je ne puis m'empêcher de vous croire. Néanmoins, je ne puis faire plus que dire cela à Gladia, à savoir qu'à mon avis, vous êtes totalement innocent. Je suis obligé de dire « à mon avis ». Je suis sûr qu'elle trouvera cela suffisamment convaincant.

— Il faudra donc que je m'en contente, marmonna Gremionis. Mais si cela peut aider, je vous donne ma parole de citoyen aurorain que je suis innocent.

Baley sourit légèrement.

— Loin de moi la pensée de douter de votre parole, mais mon entraînement me force à ne me fier qu'aux seules preuves objectives.

Il se leva, contempla gravement Gremionis pendant un moment, puis il dit :

— Gremionis, je vous prie de ne pas prendre en mauvaise part ce que je vais vous dire. Si j'ai bien compris, vous voulez que je rassure ainsi Gladia, parce que vous tenez à conserver son amitié.

— J'y tiens beaucoup.

— Et vous avez l'intention, quand l'occasion propice se présentera, de vous offrir encore une fois ?

Gremionis rougit, ravala sa salive, et répondit :

— Oui, c'est mon intention.

— Puis-je me permettre de vous donner un conseil ? Ne le faites pas.

— Vous pouvez garder vos conseils. Je n'ai aucune intention de renoncer à elle.

— Ce que je veux dire, c'est... Ne vous y prenez pas de la manière habituelle, protocolaire. Vous pourriez envisager de, simplement... (Baley se détourna, inexplicablement gêné)... de la prendre dans vos bras et de l'embrasser.

— Non ! s'écria Gremionis. Je vous en prie ! Aucune Auroraine ne le supporterait. Et aucun Aurorain !

— Ne pouvez-vous vous rappeler que Gladia n'est pas auroraine ? Elle est solarienne, elle a d'autres usages, d'autres traditions. A votre place, j'essaierais.

L'expression posée de Baley masquait une fureur intérieure. Qui était donc Gremionis, pour qu'il lui donne un tel conseil ? Pourquoi dire à un autre de faire ce que lui-même rêvait de faire ?

XIII

Amadiro

52

Baley en revint à l'affaire, d'une voix un peu plus grave que la normale.

— Vous avez cité le nom du directeur de l'Institut de Robotique, tout à l'heure. Pourriez-vous me répéter ce nom?

— Kelden Amadiro.

— Et y a-t-il un moyen de le joindre, d'ici?

— Eh bien, oui et non. Vous pouvez joindre sa réceptionniste, ou son assistant. Je doute que vous puissiez le voir. C'est un homme assez distant, à ce qu'on dit. Je ne le connais pas personnellement, bien sûr. Je l'ai aperçu, mais je ne lui ai jamais parlé.

— Si je comprends bien, il ne vous emploie pas comme styliste personnel, pour ses costumes ou sa coiffure?

— Je crois qu'il n'emploie personne et, à en juger par les quelques occasions où je l'ai aperçu, ça se voit. Naturellement, je préférerais que vous ne répétiez pas cette réflexion.

— Vous avez sûrement raison, mais je vous promets le secret, assura gravement Baley. J'aimerais quand même essayer de le rencontrer, malgré sa réputation de réserve. Si vous avez un poste d'holovision, me permettez-vous de m'en servir à cette fin ?

— Brundij peut vous demander la communication.

— Non, je crois que mon partenaire, Daneel, devrait... Si cela ne vous gêne pas, naturellement.

— Non, non, ça ne me gêne pas du tout. Le poste est par ici, si vous voulez bien me suivre. Le numéro à former est le 75-30-hausse-20, Daneel.

Daneel inclina la tête.

— Merci, monsieur.

La pièce contenant le poste d'holovision était absolument vide, à part un mince pilier d'un côté. Il s'arrêtait à hauteur de la taille et il était surmonté d'une surface plane sur laquelle était posé un pupitre assez complexe. Le pilier se trouvait au milieu d'un cercle d'un gris neutre, tracé sur le revêtement de sol vert clair. A côté, il y avait un cercle identique, de la même taille et de la même couleur, mais sans pilier.

Daneel s'avança vers le pupitre et, au même instant, le cercle sur lequel il se tenait devint d'un blanc vaguement lumineux. Sa main se déplaça au-dessus des touches, et ses doigts pianotèrent si vite que Baley ne put voir au juste ce qu'ils faisaient. Cela dura à peine quelques secondes et puis l'autre cercle prit une luminescence exactement semblable à celle du premier. Un robot y apparut, d'aspect tridimensionnel, mais entouré d'un très faible scintillement révélant que c'était une image holographique. A côté de lui, il y avait un pupitre semblable à celui qu'avait utilisé Daneel, mais qui scintillait comme le robot ; c'était donc aussi une image.

— Je suis R. Daneel Olivaw, dit Daneel (en insistant un peu sur le R, afin que le robot ne le prenne pas pour un être humain), et je représente mon partenaire, Elijah Baley, un inspecteur de la Terre. Mon partenaire voudrait parler au Maître roboticien Kelden Amadiro.

— Maître Amadiro est en conférence, répondit le robot. Lui suffirait-il de parler au roboticien Cicis ?

Daneel se tourna aussitôt vers Baley, qui acquiesça.

— Ce sera tout à fait satisfaisant, dit Daneel.

— Si tu veux bien prier l'inspecteur Baley de prendre ta place, je vais essayer de trouver le roboticien Cicis.

— Il vaudrait mieux peut-être que tu ailles d'abord...

Mais Baley intervint :

— Ça ne fait rien, Daneel. Je veux bien attendre.

— Camarade Elijah, en tant que représentant personnel du Maître roboticien Han Fastolfe, vous êtes assimilé à son rang social, du moins temporairement. Vous n'avez pas à attendre que...

— Je te dis que ça ne fait rien, Daneel! interrompit Baley avec suffisamment de force pour couper court à toute discussion. Je ne veux pas provoquer de retard pour des questions d'étiquette.

Daneel quitta le cercle et Baley prit sa place. Il ressentit un léger picotement (peut-être imaginaire) qui passa vite.

L'image du robot, debout sur l'autre cercle, s'estompa et disparut. Baley attendit patiemment et finalement une autre image apparut en trois dimensions.

— Maloon Cicis, dit l'image d'une voix claire, assez cassante.

L'homme avait des cheveux couleur de bronze, coupés très court, et cela seul suffisait à lui donner un type spatien caractéristique, aux yeux de Baley, bien qu'une certaine asymétrie de l'arête du nez fût très peu spatienne.

— Je suis l'inspecteur Elijah Baley et je viens de la Terre. Je voudrais parler au Maître roboticien Kelden Amadiro.

— Avez-vous rendez-vous, inspecteur?

— Non, monsieur.

— Alors il faudra en fixer un si vous désirez le voir et son temps est complètement pris cette semaine et la semaine prochaine.

— Je suis l'inspecteur Elijah Baley, de la Terre...

— Je l'ai fort bien compris. Cela ne change rien à la réalité.

— A la demande du Dr Han Fastolfe, et avec l'autorisation de la Législature d'Aurora, je procède à une enquête sur le meurtre du robot Jander Panell...

— Le *meurtre* du robot Jander Panell? demanda Cicis si poliment que cela indiquait du mépris.

— Le roboticide, si vous préférez. Sur la Terre, la destruction d'un robot ne serait pas une grosse affaire, mais à Aurora, où les robots sont traités plus ou moins comme des êtres humains, il me semble que le mot « meurtre » peut être employé.

— Qu'il s'agisse de meurtre ou de roboticide, il demeure impossible de voir le Maître roboticien Amadiro.

— Puis-je laisser un message pour lui?

— Si vous voulez.

— Lui sera-t-il transmis immédiatement? En ce moment même?

— Je peux essayer, mais il est évident que je ne garantis rien.

— Je comprends. Je tiens à aborder plusieurs points, que je vais numéroter. Peut-être aimeriez-vous prendre des notes...

Cicis sourit légèrement.

— Je crois que je serai capable de tout me rappeler.

— Premièrement, quand il y a crime, il y a un criminel, et j'aimerais fournir l'occasion au Dr Amadiro de présenter sa propre défense...

— Quoi! s'exclama Cicis.

(Et Gremionis, qui observait dans le fond de la pièce, en resta bouche bée.)

Baley parvint à imiter le léger sourire ironique qui venait de disparaître.

— Vais-je trop vite pour vous, monsieur? Aimeriez-vous prendre des notes, après tout?

— Accuseriez-vous le Maître roboticien d'avoir un rapport quelconque avec l'affaire Jander Panell?

— Au contraire, roboticien. C'est parce que je ne veux pas l'accuser que je dois le voir. Je ne voudrais pas l'impliquer avec le robot immobilisé, en me fondant sur des informations incomplètes, alors qu'un mot de lui pourrait tout éclaircir.

— Vous êtes fou !

— Très bien. Alors dites au Maître roboticien qu'un fou veut lui dire un mot afin d'éviter de l'accuser de meurtre. C'est mon premier point. Il y en a un second. Pouvez-vous lui dire que ce même fou vient de procéder à un long interrogatoire détaillé du styliste personnel Santirix Gremionis et qu'il appelle de l'établissement de Gremionis. Quant au troisième point... Suis-je trop rapide pour vous ?

— Non ! Achevez !

— Le troisième point est le suivant. Il se peut que le Maître roboticien, qui est un homme extrêmement important et très occupé, ne se rappelle pas qui est le styliste Santirix Gremionis. Dans ce cas, dites-lui, je vous prie, que c'est une personne qui vit dans l'enceinte de l'Institut et qui, dans le courant de l'année dernière, a fait de nombreuses promenades avec Gladia, une Solarienne qui vit maintenant sur Aurora.

— Je ne peux pas transmettre un message aussi ridicule et offensant, Terrien.

— Dans ce cas, voulez-vous avertir le Maître que je vais aller tout droit à la Législature et annoncer qu'il m'est impossible de poursuivre mon enquête parce qu'un certain Maloon Cicis a pris sur lui de m'assurer que le Maître roboticien Kelden Amadiro ne m'aidera pas dans mes investigations quant à la destruction du robot Jander Panell et ne se défendra pas contre l'accusation d'être responsable de cette destruction ?

Cicis rougit.

— Vous n'oseriez pas faire une chose pareille !

— Vous croyez ? Qu'est-ce que j'aurais à perdre ? D'autre part, qu'en pensera le grand public ? Après tout, les Aurorains savent parfaitement que le Dr Amadiro n'est dépassé que par le Dr Han Fastolfe, dans la science de la robotique, et que si Fastolfe n'est pas lui-même responsable du roboticide... Est-il nécessaire que je continue ?

— Vous découvrirez bientôt, Terrien, que les lois d'Aurora contre la diffamation sont très strictes.

— Indiscutablement, mais si le Dr Amadiro est efficacement diffamé, il en souffrira probablement plus que moi. Alors pourquoi n'allez-vous pas transmettre mon message tout de suite ? Ainsi, s'il veut bien m'expliquer quelques détails mineurs, nous pourrons éviter toute question de diffamation ou d'accusation.

Cicis fronça les sourcils et répondit entre ses dents :

— Je vais répéter cela au Dr Amadiro et je lui conseillerai vivement de refuser de vous voir.

Il disparut.

De nouveau, Baley attendit patiemment, tandis que Gremionis gesticulait d'un air affolé et marmonnait :

— Vous ne pouvez pas faire ça, Baley ! Vous ne pouvez pas !

Baley lui fit signe de se taire.

Au bout de cinq minutes (qui parurent plus longues à Baley), Cicis reparut, visiblement très en colère.

— Le Dr Amadiro va prendre ma place ici dans quelques minutes et il vous parlera. Attendez !

— Inutile d'attendre, répliqua vivement Baley. Je vais aller directement au bureau du docteur et je le verrai là-bas.

Il quitta le cercle gris et fit un geste tranchant à l'adresse de Daneel, qui se hâta de couper la communication.

Gremionis s'exclama, d'une voix étranglée :

— Vous ne pouvez pas parler sur ce ton aux gens du Dr Amadiro, Terrien !

— Je viens de le faire.

— Il vous fera jeter hors de la planète dans les douze heures.

— Si je ne progresse pas dans l'élucidation de cette exaspérante affaire, je risque aussi d'être chassé brutalement de la planète dans les douze heures.

— Camarade Elijah, intervint Daneel, je crains que Mr Gremionis n'ait raison d'être alarmé. La Législature auroraine ne peut faire plus que vous expulser, puisque vous n'êtes pas citoyen aurorain. Mais elle peut faire pression pour que les autorités de la Terre vous punissent sévèrement, et la Terre le fera. Elle ne pourrait résister aux exigences d'Aurora. Je ne voudrais pas que vous soyez puni de cette façon, camarade Elijah.

— Je ne souhaite pas du tout être puni, Daneel, mais je dois courir ce risque... Gremionis, je suis désolé d'avoir dû dire que j'appelais de chez vous. Je devais faire quelque chose, pour le persuader de me recevoir, et j'ai pensé qu'il y attacherait une certaine importance. C'était la vérité, après tout.

Gremionis secoua la tête.

— Si j'avais su ce que vous alliez faire, je ne vous aurais pas permis d'appeler de chez moi. Je suis sûr que je vais perdre ma situation ici, et que comptez-vous faire pour me dédommager ?

— Je ferai tout mon possible pour que vous ne perdiez pas votre situation. Je suis certain que vous n'aurez pas d'ennuis. Si j'échouais, cependant, vous êtes libre de me présenter comme un fou qui a proféré contre vous des accusations insensées et qui vous a effrayé avec des menaces de diffamation, au cas où vous ne le laisseriez pas utiliser votre poste d'holovision. Je suis sûr que le Dr Amadiro vous croira. Dans le fond, vous lui avez déjà envoyé une note pour vous plaindre, n'est-ce pas ?

Baley sourit et agita une main.

— Au revoir, monsieur Gremionis. Merci encore et ne vous inquiétez pas. Et rappelez-vous ce que je vous ai dit, pour Gladia.

Avec Daneel et Giskard l'encadrant, Baley sortit de l'établissement de Gremionis, en se rendant à peine compte qu'il repartait dans l'Extérieur.

Une fois dehors, cependant, ce fut une autre affaire. Baley s'arrêta et leva les yeux.

— Bizarre, dit-il. Je ne pensais pas qu'il s'était passé si longtemps, même en tenant compte de ce que les journées auroraines sont plus courtes que la normale.

— Qu'y a-t-il, camarade Elijah? demanda Daneel avec sollicitude.

— Le soleil est couché. Je n'aurais pas cru qu'il fût si tard.

— Il n'est pas couché, monsieur, dit Giskard. Il y a encore deux heures environ, avant le coucher du soleil.

— C'est l'orage qui se prépare, camarade Elijah. Les nuages s'amoncellent, mais l'orage ne va pas éclater tout de suite.

Baley frissonna. L'obscurité, en soi, ne le dérangeait pas. Au contraire, quand il était à l'Extérieur, la nuit, avec son illusion de murs protecteurs, était infiniment plus apaisante que le jour, qui élargissait les horizons et découvrait les grands espaces dans toutes les directions.

L'ennui, c'était que cet instant n'était ni le jour ni la nuit.

Encore une fois, il essaya de se rappeler comment c'était, cette fois où il avait plu alors qu'il était à l'Extérieur.

Il s'aperçut soudain qu'il n'avait jamais été dehors quand il neigeait, qu'il ne savait même pas très bien à quoi ressemblait cette pluie de cristaux solides. Les simples descriptions étaient nettement insuffisantes. Les enfants, les jeunes, sortaient parfois pour faire des glissades ou de la luge, et revenaient en poussant des cris de joie, surexcités, mais toujours heureux de se retrouver entre les murs de la Ville. Ben avait essayé un jour de fabriquer une paire de skis, en suivant les instructions trouvées dans un vieux grimoire, un manuel, et il s'était à moitié enseveli dans un grand amoncellement de poudre blanche. Et même ses descriptions de ce qu'il avait vu et ressenti dans la neige restaient désespérément vagues et insatisfaisantes.

Et puis personne ne sortait quand il neigeait vraiment et ce n'était pas la même chose que d'avoir cette neige simplement étalée sur le sol. Baley se dit, à ce moment, que la seule chose sur laquelle tout le monde était d'accord, c'était qu'il ne neigeait que lorsqu'il faisait très froid. Il ne faisait pas très froid maintenant; simplement frais. Ces nuages ne voulaient pas dire qu'il allait neiger, se dit-il, mais il n'en fut que très légèrement rassuré.

Cela ne ressemblait pas au temps couvert de la Terre, ce qu'il en avait vu. Sur Terre, les nuages étaient moins foncés, il en était sûr. Ils étaient d'un blanc grisâtre, même quand ils recouvraient entièrement le ciel. Ici, la lumière, le peu qu'il y en avait, était plutôt bilieuse, d'une horrible couleur d'ardoise jaunâtre.

Etait-ce parce que le soleil d'Aurora était plus orangé que celui de la Terre ?

— Est-ce que la couleur du ciel n'est pas... anormale ? demanda-t-il.

Daneel regarda en l'air.

— Non, camarade Elijah. C'est simplement un orage.

— Vous avez souvent des orages comme celui-ci ?

— En cette saison, oui. Des orages locaux. Celui-ci n'est pas une surprise. Il a été prédit dans le bulletin météorologique d'hier et de nouveau ce matin. Il sera fini avant le lever du jour et les champs ont bien besoin d'eau. Nous avons eu une certaine sécheresse, dernièrement.

— Et il fait aussi froid ? Est-ce que ce froid est normal aussi ?

— Oh oui... Mais venez, montons dans l'aéroglisseur, camarade Elijah. Il y a le chauffage.

Baley acquiesça et marcha vers le véhicule, sur la pelouse. De nouveau, il s'arrêta.

— Attendez. Ne devrions-nous pas demander à Gremionis comment nous rendre à l'établissement d'Amadiro, ou à son bureau ?

— Ce n'est pas la peine, camarade Elijah, dit immédiatement Daneel, une main sous le coude de Baley pour le pousser doucement (mais fermement). L'Ami Giskard a le plan de l'Institut enregistré dans sa mémoire et il nous conduira au bâtiment administratif. C'est très probablement là que le Dr Amadiro a son bureau.

— Mon information, dit Giskard, est bien que le bureau du Dr Amadiro se trouve dans le bâtiment administratif. Si par hasard il n'était pas à son bureau mais chez lui, son établissement est tout à côté.

Baley se retrouva serré à l'avant entre les deux robots. Il appréciait surtout Daneel, avec sa chaleur corporelle quasi humaine. La surface de Giskard à l'aspect de textile était isolante, et moins froide au toucher que du métal nu, mais il était le moins agréable des deux.

Baley se retint alors qu'il était sur le point de mettre un bras autour des épaules de Daneel, dans l'intention de mieux se réchauffer en le serrant contre lui. Tout confus, il ramena sa main sur ses genoux.

— Je n'aime pas l'aspect de ce paysage, dit-il.

Daneel, peut-être pour distraire Baley de sa crainte de l'Extérieur et du mauvais temps, lui demanda :

— Camarade Elijah, comment saviez-vous que le Dr Vasilia avait encouragé l'intérêt de Mr Gremionis pour Miss Gladia ? Je ne vous ai pas entendu recevoir des indications à cet effet.

— Je n'en ai pas reçu, avoua Baley. J'étais assez désespéré pour lancer des ballons d'essai... c'est-à-dire miser sur la probabilité supposée d'un événement. Gladia m'a dit que Gremionis était la seule personne qui s'intéressait suffisamment à elle pour s'offrir à plusieurs reprises. J'ai pensé qu'il avait pu tuer Jander par jalousie. Je ne pensais pas qu'il connaissait suffisamment la robotique pour le faire lui-même mais à ce moment j'ai appris que la fille de Fastolfe, Vasilia, était roboticienne et ressemblait physiquement à Gladia. Je me suis donc demandé si Gremionis, ayant été fasciné par Gladia, ne l'avait pas été auparavant par Vasilia... et si le meurtre n'était pas, peut-être, les suites d'une conspiration entre eux deux. C'est d'ailleurs en faisant une obscure allusion à l'existence d'une telle complicité que j'ai pu persuader Vasilia de me recevoir.

— Mais il n'y avait pas de conspiration, camarade Elijah... du moins pas en ce qui concerne la destruction de Jander. Vasilia et Gremionis n'auraient pas pu provoquer cette destruction, même s'ils avaient travaillé ensemble.

— Je te l'accorde, et pourtant Vasilia a été effrayée par la suggestion d'un rapport avec Gremionis. Pourquoi ? Quand Gremionis nous a dit qu'il avait d'abord été attiré par Vasilia et ensuite par Gladia, je me suis demandé si le rapport entre les deux avait été plus indirect, si Vasilia ne l'avait pas encouragé à transférer ainsi son affection, pour une raison en rapport lointain, mais néanmoins en rapport avec la mort de Jander. Après tout, il devait bien y avoir un rapport quelconque entre eux. La réaction de Vasilia à ma première suggestion le prouve.

» Mes soupçons étaient bien fondés. C'est Vasilia qui est à l'origine du passage de Gremionis d'une femme à l'autre. Gremionis était ahuri que je le sache et cela aussi a été utile, car si c'était une chose absolument innocente, il n'y avait aucune raison d'en faire un secret. Et pourtant, c'était manifestement un secret. Tu te souviens que Vasilia n'a pas du tout dit qu'elle avait poussé Gremionis à se tourner vers Gladia. Quand je lui ai dit que Gremionis s'était offert à Gladia, elle s'est conduite comme si c'était la première fois qu'elle en entendait parler.

— Mais, camarade Elijah, quelle importance cela a-t-il ?

— Nous le découvrirons peut-être. Il me semble que ça n'avait pas d'importance, ni pour Gremionis ni pour Vasilia. Par conséquent, s'ils y attachent de l'importance, il se peut qu'une tierce personne y soit mêlée. Si cela avait un quelconque rapport avec l'affaire Jander, il faudrait que cette tierce personne soit un roboticien encore plus habile que Vasilia et cela pourrait être Amadiro. Alors, pour lui aussi, j'ai fait allusion à l'existence d'une conspiration, en indiquant à dessein que j'avais interrogé Gremionis et que j'appelais de chez lui... et cela a marché aussi.

— Je ne sais toujours pas ce que tout cela veut dire, camarade Elijah.

— Moi non plus... à part quelques hypothèses... Mais peut-être allons-nous avoir des éclaircissements chez Amadiro. Notre situation est si déplorable, vois-tu, que nous n'avons rien à perdre en devinant et en lançant des ballons d'essai ou des coups de dés.

Pendant cette conversation, l'aéroglisseur s'était élevé sur son coussin d'air, à une hauteur modérée. Il survola une rangée de buissons et prit de la vitesse au-dessus des régions herbeuses et des routes de gravier. Baley remarqua que là où l'herbe était plus haute, elle était couchée d'un côté par le vent, comme si un aéroglisseur invisible mais beaucoup plus grand passait au-dessus.

— Giskard, dit Baley, tu as enregistré les conversations qui se sont déroulées en ta présence, n'est-ce pas ?

— Oui, monsieur.

— Et tu peux les reproduire selon les besoins ?

— Oui, monsieur.

— Et tu peux facilement retrouver, et reproduire, toute déclaration particulière faite par telle ou telle personne ?

— Oui, monsieur. Vous n'auriez pas à écouter l'enregistrement tout entier.

— Et pourrais-tu, si besoin était, servir de témoin dans un tribunal ?

— Moi, monsieur ? Oh non, monsieur ! répondit

Giskard sans quitter la route des yeux. Comme on peut faire mentir un robot par des ordres assez habilement donnés, et puisque aucune des menaces ou des exhortations d'un juge n'y changera rien, la Loi considère sagement qu'un robot est un témoin non recevable.

— Mais alors, si c'est le cas, à quoi servent tes enregistrements ?

— C'est une tout autre chose, monsieur. Un enregistrement, une fois fait, ne peut être modifié sur simple commandement, encore qu'il puisse être effacé. Un tel enregistrement peut, par conséquent, être admis comme pièce à conviction. Il n'y a pas de jurisprudence, cependant, et le fait qu'il soit recevable ou non dépend de l'affaire en cause ou de chaque juge.

Baley ne savait trop si ces explications étaient par elles-mêmes déprimantes ou s'il était influencé par la déplaisante teinte livide qui baignait le paysage.

— Est-ce que tu y vois assez bien pour conduire, Giskard ? demanda-t-il.

— Certainement, monsieur, mais je n'en ai pas besoin. L'aéroglisseur est équipé d'un radar informatisé capable d'éviter les obstacles de lui-même, même si je devais, inexplicablement, faillir à ma mission. Ce système fonctionnait hier matin quand nous avons voyagé confortablement, bien que toutes les vitres fussent opacifiées.

— Camarade Élijah, dit Daneel pour tenter encore une fois de détourner la conversation de l'inquiétude de Baley, espérez-vous que le Dr Amadiro pourra vous aider ?

Giskard arrêta l'aéroglisseur sur une grande pelouse, devant un long bâtiment pas très haut, dont la façade artistement sculptée était neuve, tout en donnant l'impression de s'inspirer d'un art très ancien.

Baley n'eut besoin de personne pour comprendre que c'était le bâtiment administratif.

— Non, Daneel, répondit-il au robot, je crains que le Dr Amadiro ne soit beaucoup trop intelligent pour nous donner la moindre prise sur lui.

— Et si c'est le cas, que comptez-vous faire ensuite ?

— Je ne sais pas, avoua Baley avec un pénible sentiment de déjà vu. Mais j'essaierai de trouver quelque chose.

54

Quand Baley entra dans le bâtiment administratif, sa première sensation fut le soulagement d'être maintenant à l'abri de l'éclairage anormal de l'Extérieur. La seconde fut de la stupéfaction ironique.

Sur Aurora, les établissements — les demeures particulières — étaient absolument aurorains. Pas un instant, que ce soit dans le salon de Gladia, dans la salle à manger de Fastolfe, dans le laboratoire de Vasilia ou en utilisant le poste d'holovision de Gremionis, Baley ne s'était imaginé sur la Terre. Ces quatre maisons étaient distinctes, différentes, mais toutes appartenaient à une même espèce, un même style, aussi éloigné que possible de celui des habitations de la Terre.

Le bâtiment administratif, en revanche, représentait la fonction publique, c'était l'essence même de tout ce qui était officiel et cela, apparemment, transcendait la variété humaine commune. Il n'appartenait pas à la même espèce que les demeures d'Aurora, pas plus qu'un bâtiment officiel de la ville natale de Baley ne ressemblait à un appartement des quartiers résidentiels. Mais les deux bâtiments officiels, sur les deux mondes de nature absolument différente, se ressemblaient singulièrement.

C'était le premier endroit d'Aurora où Baley, un instant, aurait pu se croire sur la Terre. Il y avait les mêmes longs couloirs nus et froids, le même commun dénominateur le plus bas pour l'architecture et la décoration, avec des éclairages conçus pour irriter le moins de gens possible et plaire à tout aussi peu.

Il y avait quelques touches, ici et là, qu'on ne trouvait pas sur Terre, une plante verte suspendue, prospérant à la lumière artificielle et probablement (se dit Baley) équipée d'un système d'arrosage automatique. Ces petits rappels de la nature étaient absents sur la Terre, et leur présence ne l'enchantait pas. Ces pots de fleurs ne risquaient-ils pas de tomber ? N'attiraient-ils pas des insectes ? L'eau ne risquait-elle pas de couler ?

Il manquait aussi d'autres choses. Sur Terre, quand on était dans une Ville il y avait toujours la perpétuelle et grouillante animation, le bourdonnement constant des gens et des machines, même dans les édifices administratifs les plus froidement officiels. C'était le *Bzz du Bizness,* pour employer le jargon à la mode des journalistes et des hommes politiques de la Terre.

Ici, en revanche, tout était calme. Baley n'avait pas spécialement remarqué le silence dans les établissements qu'il avait visités dans la journée et la veille ; tout lui paraissait tellement anormal et extraordinaire qu'une bizarrerie de plus passait inaperçue. Il avait même été beaucoup plus frappé par le bourdonnement des insectes, à l'Extérieur, par le vent dans la végétation que par l'absence de ce que l'on appelait (autre cliché populaire) la constante palpitation de l'Humanité. Mais là, dans ce bâtiment qui évoquait tellement la Terre, l'absence de la « palpitation » le déconcertait tout autant que la nuance nettement orangée de l'éclairage artificiel, qui se remarquait plus là, sur ces murs nus d'un blanc grisâtre, que dans l'abondance de décoration caractérisant les établissements aurorains.

La rêverie de Baley ne dura pas longtemps. Ils étaient juste à l'intérieur de l'entrée principale et Daneel avait allongé le bras pour retenir ses compagnons. Une trentaine de secondes s'écoulèrent avant que Baley demande, en chuchotant machinalement dans le silence :

— Pourquoi attendons-nous ?

— Parce que c'est souhaitable, camarade Elijah, répondit Daneel. Il y a un champ picotant devant nous.

— Un quoi ?

— Un champ picotant, camarade Elijah. En réalité, cette formule est un euphémisme. Ce champ stimule les extrémités nerveuses et provoque une assez vive douleur. Les robots peuvent passer, bien sûr, mais pas les êtres humains. Et toute rupture du champ, qu'elle soit causée par un robot ou un être humain, déclenche un système d'alarme.

— Comment sais-tu qu'il y a un champ picotant ?

— On peut le voir, camarade Elijah, si l'on sait le chercher. L'air semble vibrer légèrement et le mur au delà de cette zone a une nuance vaguement plus verdâtre.

— Je ne vois rien du tout ! s'exclama Baley avec indignation. Qu'est-ce qui m'empêcherait, moi ou tout autre visiteur innocent, d'entrer dans le champ et de souffrir le martyre ?

— Les membres de l'Institut portent sur eux un appareil neutralisant ; les visiteurs sont presque toujours accompagnés par un ou plusieurs robots qui détectent avec certitude le champ dangereux.

Un robot arrivait par le couloir, de l'autre côté du champ. (Sur sa surface métallique lisse, la vibration de l'air, le vague scintillement, se remarquait mieux.) Il ne fit pas attention à Giskard mais hésita un moment, son regard allant de Baley à Daneel et vice versa. Enfin, ayant pris une décision, il s'adressa à Baley, qui pensa que, peut-être, Daneel avait l'air trop humain pour être humain.

— Votre nom, monsieur ? demanda le robot.

— Je suis l'inspecteur Elijah Baley, de la Terre. Je suis accompagné par deux robots de l'établissement du Dr Fastolfe, Daneel Olivaw et Giskard Reventlov.

— Vous avez des papiers d'identité, monsieur ?

Le numéro de série de Giskard apparut en chiffres phosphorescents sur le côté gauche de son torse.

— Je me porte garant de mes deux compagnons, Ami, dit-il.

Le robot examina un moment le numéro, comme s'il

le comparait avec une liste enregistrée dans sa mémoire, puis il hocha la tête.

— Numéro de série accepté. Vous pouvez passer.

Daneel et Giskard avancèrent aussitôt mais Baley marcha plus lentement, en tendant le bras devant lui comme pour guetter la venue de la douleur.

— Le champ n'est plus là, camarade Elijah, lui dit Daneel. Il sera rétabli une fois que nous serons passés.

Prudence est mère de sûreté, se dit Baley, et il continua de traîner les pieds jusqu'à ce qu'il ait largement dépassé la fin supposée du barrage.

Les robots, sans manifester d'impatience ni de réprobation, attendirent que la marche hésitante de Baley l'amène jusqu'à eux.

Ils passèrent ensuite sur une rampe hélicoïdale où deux personnes seulement pouvaient se placer de front. Le robot était en tête, tout seul, Baley et Daneel derrière lui côte à côte (la main de Daneel reposant légèrement, mais presque d'un geste possessif, sur le bras de Baley), et Giskard en arrière-garde.

Baley sentit ses souliers pointer vers le haut, d'une manière plutôt inconfortable, et pensa vaguement que ce serait fatigant de devoir monter par cette rampe trop inclinée, le corps penché en avant pour conserver son équilibre. Il se dit que les semelles de ses souliers ou la surface de la rampe (ou les deux) devraient être striées; ni les unes ni l'autre ne l'étaient.

En tête, le robot dit « Mr Baley », comme s'il donnait un avertissement, et sa main se resserra visiblement sur la rampe.

Aussitôt, la rampe se divisa en sections qui glissèrent les unes contre les autres pour former des marches. Et puis, presque immédiatement, la rampe entière se mit en marche et s'éleva. Elle effectua un tour complet, passa à travers le plafond dont un panneau avait coulissé, et quand elle s'arrêta, ils étaient (fort probablement) au premier étage. Les marches disparurent et les quatre passagers quittèrent la rampe.

Baley se retourna avec curiosité.

— Je suppose qu'elle peut servir aussi à ceux qui veulent descendre, mais qu'arrive-t-il s'il y a un moment où plus de gens veulent monter que descendre? Est-ce qu'elle finirait par se dresser d'un kilomètre dans les airs? Ou par plonger d'autant dans le sol, dans le cas contraire?

— Ceci est une spirale montante, répondit Daneel à voix basse. Il y a des spirales descendantes séparées.

— Mais il faut bien qu'elle redescende, n'est-ce pas?

— Elle s'affaisse au sommet — ou au fond selon le côté dont nous parlons — et, en périodes de non-emploi, elle se détend, pour ainsi dire. Cette spirale montante est en train de descendre, camarade Elijah.

Baley se retourna de nouveau. La surface lisse glissait peut-être vers le bas mais aucune irrégularité, aucun mouvement ne se remarquait.

— Et si quelqu'un veut s'en servir quand elle est montée aussi haut qu'elle le peut?

— Alors cette personne doit attendre la détente, qui dure moins d'une minute... Il y a aussi des escaliers normaux, camarade Elijah, et la plupart des Aurorains ne dédaignent pas de les emprunter. Les robots prennent presque toujours l'escalier. Comme vous êtes un visiteur, on vous offre la spirale par courtoisie.

Ils suivaient de nouveau un couloir, en direction d'une porte plus décorée que les autres.

— Ils me traitent avec courtoisie, donc, dit Baley. C'est bon signe.

Peut-être était-ce également bon signe qu'un Aurorain apparaisse maintenant, ouvrant la porte sculptée. Il était grand, d'au moins dix centimètres de plus que Daneel qui en avait au moins cinq de plus que Baley. L'homme, sur le seuil, était puissant, assez trapu, avec une figure ronde, un nez plutôt bulbeux, des cheveux noirs frisés, un teint basané. Il souriait.

On remarquait surtout le sourire, large, apparemment sincère, montrant de grandes dents bien blanches et régulières.

— Ah! s'exclama-t-il. C'est Mr Baley, le célèbre

enquêteur de la Terre, qui vient sur notre petite planète pour démontrer que je suis un abominable malfaiteur. Entrez, entrez. Vous êtes le bienvenu. Je regrette que mon assistant zélé, le roboticien Maloon Cicis, vous ait donné l'impression que je ne vous recevrais pas, mais c'est un garçon prudent et il s'inquiète beaucoup plus que moi de mon temps précieux.

Il s'écarta pour laisser entrer Baley et lui donna une petite claque sur l'épaule au passage. Selon toute apparence, c'était un geste d'amitié, comme Baley n'en avait pas encore connu à Aurora.

Avec prudence (en se demandant s'il n'espérait pas trop), il dit :

— Si je ne me trompe pas, vous êtes le Maître roboticien Kelden Amadiro ?

— Tout juste, tout juste. Celui qui cherche à détruire le Dr Han Fastolfe en tant que puissance politique sur cette planète... mais cela, comme j'espère vous en convaincre, ne fait pas de moi un criminel. Après tout, je ne cherche pas à prouver que c'est Fastolfe le malfaiteur, à cause simplement de cet acte de vandalisme ridicule commis contre sa propre création, le pauvre Jander. Disons simplement que je vais démontrer que Fastolfe... se trompe.

Il fit un geste et le robot qui les avait guidés s'avança et alla se placer dans une niche.

Tandis que la porte se fermait, Amadiro désigna aimablement à Baley un fauteuil confortable et, avec une admirable économie de gestes, indiqua de l'autre main des niches pour Daneel et Giskard.

Baley remarqua qu'Amadiro examinait Daneel avec une envie non dissimulée et que, pour un instant, son sourire disparaissait pour faire place à une expression presque gourmande. Mais elle s'effaça aussitôt et le sourire reprit sa place. Ce fut si rapide que Baley se demanda s'il n'avait pas imaginé ce changement d'expression fugace.

— Comme tout porte à croire que nous allons avoir à supporter un peu de mauvais temps, dit Amadiro, je pense que nous pouvons nous passer de ce jour assez douteux qui nous éclaire si inefficacement.

Sans que Baley sache comment (il ne vit pas très bien ce que faisait Amadiro sur le tableau de commandes de son bureau), les fenêtres s'opacifièrent et les murs brillèrent d'un agréable éclairage tamisé.

Le sourire d'Amadiro parut s'élargir.

— En réalité, nous n'avons pas grand-chose à nous dire, monsieur Baley. J'ai pris la précaution de parler à Mr Gremionis, pendant que vous étiez en route pour venir ici. Après l'avoir entendu, j'ai décidé d'appeler aussi le Dr Vasilia. Apparemment, vous les avez plus ou moins accusés tous les deux de complicité dans la destruction de Jander et, si j'ai bien compris, vous m'avez accusé également.

— J'ai simplement posé des questions, docteur Amadiro, comme j'ai l'intention de le faire maintenant.

— Sans doute, sans doute, mais vous êtes un Terrien, alors vous ne vous rendez pas compte de la gravité de vos actes et je suis sincèrement navré que vous deviez en subir les conséquences. Vous savez probablement que Mr Gremionis m'a envoyé une note concernant vos diffamations.

— Il me l'a dit, mais il a mal interprété mon attitude. Ce n'était pas de la diffamation.

Amadiro pinça les lèvres, comme s'il réfléchissait à ce propos.

— J'ose dire que vous avez raison, à votre point de vue, mais vous ne comprenez pas la définition auroraine de ce mot. J'ai été obligé de transmettre la note de Gremionis au Président et, en conséquence, il est fort probable que vous serez expulsé de la planète dès demain matin. Je le regrette, naturellement, mais je crains que votre enquête soit sur le point de toucher à sa fin.

XIV

Encore Amadiro

55

Baley fut pris de court. Il ne savait que penser d'Amadiro et ne s'était pas attendu à être aussi déconcerté. Gremionis avait dit que le Maître était « distant ». D'après ce qu'avait dit Cicis, il pensait avoir à affronter un autocrate. En personne, cependant, Amadiro paraissait jovial, ouvert, presque amical. Pourtant, à l'en croire, Amadiro s'appliquait calmement à arrêter l'enquête. Il le faisait impitoyablement et cependant avec un petit sourire de commisération.

Quel homme était-il ?

Machinalement, Baley jeta un coup d'œil vers les niches où se tenaient Daneel et Giskard, le primitif Giskard sans expression, bien entendu, et Daneel, plus calme et tranquille. Il trouvait assez improbable que Daneel, durant sa brève existence, ait jamais rencontré Amadiro. Giskard, d'autre part, au cours de ses nombreuses années de vie (combien ?) avait fort bien pu le connaître.

Baley serra les lèvres en pensant qu'il aurait pu demander à Giskard quel genre d'homme était Amadiro. S'il avait pris cette précaution, il serait maintenant plus capable de juger dans quelle mesure l'attitude actuelle du roboticien était naturelle ou savamment calculée.

Pourquoi diable, pensa-t-il, n'avait-il pas plus intelligemment utilisé les ressources de ses robots ? Et pourquoi Giskard ne l'avait-il pas renseigné de lui-même... mais non, c'était injuste. Giskard était évidemment incapable d'une telle activité autonome. Il renseignait à la demande mais ne ferait jamais rien de sa propre initiative.

Amadiro, suivant le bref regard de Baley, dit :

— Je suis seul contre trois, on dirait. Comme vous le voyez, je n'ai aucun de mes robots dans mon bureau, bien qu'ils soient tous instantanément disponibles à mon appel, je l'avoue, alors que vous avez les robots de Fastolfe; ce bon vieux Giskard, et cette merveille d'ingéniosité, Daneel.

— Je vois que vous les connaissez tous les deux, dit Baley.

— De réputation seulement. En réalité je les vois — j'allais dire « en chair et en os », moi, un roboticien ! — je les vois physiquement pour la première fois. Mais j'ai vu Daneel incarné par un acteur, dans cette dramatique.

— Sur toutes les planètes, apparemment, tout le monde a vu cette émission, grommela Baley. Cela rend bien difficile ma vie d'individu réel et limité.

— Pas avec moi, assura Amadiro en accentuant son sourire. Je puis vous affirmer que je n'ai pas pris au sérieux votre histoire romancée. Je comprenais bien que, dans la vie réelle, vous aviez des limites. Et je ne me trompais pas, sinon vous ne vous seriez pas livré aussi librement, à Aurora, à des accusations sans fondement.

— Docteur Amadiro, répondit Baley, je vous assure que je n'ai porté aucune accusation précise. Je poursuis simplement une enquête et j'envisage toutes les possibilités.

— Ne vous méprenez pas, répliqua Amadiro avec une gravité soudaine. Je ne vous reproche rien. Je suis certain que vous vous êtes conduit très correctement selon les usages de la Terre. Mais vous êtes maintenant en butte aux usages aurorains. Nous attachons un très grand prix à notre réputation.

— Si c'est le cas, docteur Amadiro, il semblerait que les autres globalistes et vous ayez diffamé le Dr Fastolfe en le soupçonnant, dans une bien plus grande mesure que moi et bien plus gravement.

— C'est exact, reconnut Amadiro, mais je suis un Aurorain éminent et je bénéficie d'une certaine influence, alors que vous êtes un Terrien et n'avez pas la moindre influence. C'est tout à fait injuste, je l'admets, et je le déplore, mais c'est ainsi que vont les mondes. Que faire ? D'ailleurs, l'accusation contre Fastolfe peut être prouvée — et elle le sera — et la diffamation n'en est pas quand elle exprime la vérité. Votre erreur a été de proférer des accusations qui ne peuvent absolument pas être soutenues. Je suis sûr que vous devez reconnaître que ni Mr Gremionis, ni le Dr Vasilia Aliena, ni tous deux ensemble, n'ont pu détruire le pauvre Jander.

— Je ne les ai pas formellement accusés non plus.

— Peut-être pas, mais vous ne pouvez pas vous cacher derrière le mot « formellement », à Aurora. C'est dommage que Fastolfe ne vous en ait pas averti quand il vous a fait venir ici pour entreprendre cette enquête... Une enquête bien mal partie, je le crains.

Baley fit une petite grimace involontaire, en se disant qu'en effet Fastolfe aurait pu le prévenir.

— Vais-je avoir le droit d'être écouté dans cette affaire, ou tout est-il déjà réglé ? demanda-t-il.

— Vous serez écouté, naturellement, avant d'être condamné. Les Aurorains ne sont pas des barbares. Le Président étudiera la note que je lui ai transmise, ainsi que mes suggestions en la matière. Il consultera probablement Fastolfe, l'autre personne directement concernée, et voudra certainement nous voir tous les trois, peut-être demain. Il prendra alors une décision, à ce moment ou plus tard, qui devra être ratifiée par la

Législature au complet. La Loi sera absolument respectée, je peux vous le garantir.

— La lettre de la Loi sera respectée, je n'en doute pas, mais si le siège du Président est déjà fait, si rien de ce que je dis n'est accepté, et si la Législature se contente de sanctionner une décision prise d'avance ? N'est-ce pas possible ?

Amadiro ne sourit pas exactement de cela mais il parut subtilement amusé.

— Vous êtes réaliste, et j'en suis heureux. Les gens qui rêvent de justice risquent trop d'être désappointés et ce sont généralement des hommes si remarquables qu'on n'aime pas les voir déçus.

Le regard d'Amadiro se fixa de nouveau sur Daneel.

— Un travail extraordinaire, ce robot humaniforme, murmura-t-il. C'est ahurissant que Fastolfe ait si bien gardé le secret et c'est vraiment dommage que Jander soit perdu. Fastolfe a commis là l'impardonnable.

— Le Dr Fastolfe nie qu'il ait la moindre implication dans cette affaire, monsieur.

— Oui, naturellement. Est-ce qu'il dit que j'en suis responsable, moi ? Ou m'accusez-vous de votre propre chef ?

— Je ne vous accuse pas, déclara catégoriquement Baley. Je souhaite simplement vous interroger à ce sujet. Quant au Dr Fastolfe, il n'est pas un candidat pour une de vos accusations de diffamation. Il est convaincu que vous n'avez rien à voir avec ce qui est arrivé à Jander, parce qu'il est absolument certain que vous ne possédez pas les connaissances ni l'habileté nécessaires pour immobiliser un robot humaniforme.

Si Baley espérait attiser le débat de cette façon, il échoua. Amadiro accepta l'insulte sans rien perdre de sa bonne humeur et répondit :

— Il a raison en cela. Cette habileté ne peut se trouver chez aucun roboticien, vivant ou mort, à l'exception de Fastolfe. N'est-ce pas ce qu'il affirme, notre modeste Maître des Maîtres ?

— Si.

— Alors, selon lui, qu'est-il arrivé à Jander, je me demande?

— Un accident fortuit. Un pur hasard.

Amadiro éclata de rire.

— A-t-il calculé les probabilités d'un tel hasard?

— Oui, Maître. Cependant, même un accident invraisemblable peut se produire, surtout si des péripéties surviennent, qui augmentent les risques.

— Lesquelles, par exemple?

— Voilà ce que j'espère découvrir. Comme vous vous êtes déjà arrangé pour me faire expulser de la planète, avez-vous maintenant l'intention de couper court à tout interrogatoire de vous-même, ou puis-je poursuivre mon enquête pendant le peu de temps qui me reste légalement? Avant de répondre, docteur Amadiro, considérez, je vous prie, que l'enquête n'a pas encore pris fin légalement et que, dans n'importe quelle audience qui me sera accordée, demain ou plus tard, je pourrai vous accuser d'avoir refusé de répondre à mes questions, si vous insistez pour mettre fin maintenant à cette entrevue. Cela influencera peut-être le Président, quand il devra prendre une décision.

— Non, pas du tout, monsieur Baley. N'allez pas imaginer un instant que vous pouvez me mettre dans l'embarras. Cependant, vous pouvez m'interroger aussi longtemps que vous voudrez. Je collaborerai pleinement avec vous, ne serait-ce que pour jouir du spectacle du bon Fastolfe essayant en vain de se dépêtrer de sa malheureuse action. Je ne suis pas extraordinairement vindicatif, Baley, mais le fait que Jander ait été la propre création de Fastolfe ne lui donnait pas le droit de le détruire.

— Il n'a pas été établi légalement qu'il l'ait fait, alors ce que vous venez de dire est, du moins en puissance, de la diffamation. Nous allons donc laisser cela de côté et procéder à cet interrogatoire. J'ai besoin de renseignements. Je poserai des questions brèves et directes et si vous répondez de la même façon, l'entrevue sera courte.

— Non, ce n'est pas vous qui allez poser les conditions de cette entrevue, riposta Amadiro. Je suppose qu'un de vos robots, ou les deux, est équipé de manière à enregistrer complètement notre conversation.

— Je crois.

— J'en suis certain. J'ai moi-même un système d'enregistrement. N'allez pas penser que vous m'entraînerez dans une jungle de brèves réponses vers quelque chose qui servira les desseins de Fastolfe. Je répondrai comme je le juge bon en m'assurant que je suis bien compris. Et mon propre enregistrement m'aidera à m'assurer qu'il n'y a aucun malentendu.

Pour la première fois, on sentait percer le loup sous le masque amical d'Amadiro.

— Très bien, mais si vos réponses sont volontairement alambiquées et évasives, cela aussi ressortira à l'enregistrement.

— C'est évident.

— Cela étant bien compris, pourrais-je avoir un verre d'eau avant de commencer?

— Certainement... Giskard, veux-tu servir Mr Baley?

Giskard sortit aussitôt de sa niche. On entendit l'inévitable tintement de la glace, au bar dans le fond de la pièce, et presque aussitôt un grand verre d'eau apparut sur le bureau devant Baley.

— Merci, Giskard, dit-il, et il attendit que le robot ait regagné sa niche. Docteur Amadiro, ai-je raison de vous considérer comme le directeur de l'Institut de Robotique?

— Oui, je le suis, en effet.

— Et aussi son fondateur?

— Exact... Vous voyez, je réponds brièvement.

— Depuis combien de temps existe-t-il?

— En tant que projet, depuis des dizaines d'années. J'ai réuni des personnes d'opinions semblables pendant au moins quinze ans. L'autorisation a été obtenue de la Législature il y a douze ans. La construction a commencé il y a neuf ans et le travail actif il y a six ans. Sous sa forme actuelle achevée, l'Institut est vieux de deux ans et nous avons des plans d'expansion à long terme... Là, vous avez une réponse plus longue, monsieur, mais présentée d'une manière raisonnablement concise.

— Pourquoi avez-vous jugé nécessaire de créer l'Institut ?

— Ah ! A cela, vous ne pouvez sûrement pas attendre autre chose qu'une longue réponse.

— A votre aise, monsieur.

A ce moment, un robot apporta un plateau de petits sandwiches et de pâtisseries encore plus petites, dont aucune n'était familière à Baley. Il prit un sandwich et le trouva croustillant, pas précisément déplaisant mais assez bizarre pour qu'il ne le finisse qu'avec effort. Il le fit passer avec une gorgée d'eau.

Amadiro l'observait avec un léger amusement.

— Vous devez comprendre, monsieur Baley, que les Aurorains sont des gens insolites. Comme tous les Spatiens en général, mais en ce moment je parle des Aurorains en particulier. Nous descendons des Terriens — ce que la plupart d'entre nous ne se rappellent pas volontiers — mais nous sommes auto-sélectionnés.

— Qu'est-ce que cela veut dire, monsieur ?

— Les Terriens ont longtemps vécu sur une planète de plus en plus surpeuplée et se sont rassemblés dans des villes encore plus surpeuplées qui ont fini par devenir des ruches et des fourmilières, que vous appelez des Villes avec un grand V. Quelle espèce de Terriens, dans ces conditions, accepterait de quitter la Terre pour aller dans d'autres mondes déserts et hostiles, afin d'y construire de nouvelles villes à partir de rien ? De fonder des sociétés dont ils ne pourraient pas jouir de leur vivant sous leur forme achevée, de planter des arbres qui ne seraient encore que des plants à leur mort, pour ainsi dire ?

— Des gens sortant de l'ordinaire, je suppose.

— Tout à fait insolites. En particulier, des gens qui ne dépendent pas de la foule de leurs semblables au point de ne pas être capables d'affronter le vide. Des gens, même, qui préfèrent le vide, qui aimeraient travailler de leurs mains et résoudre les problèmes par eux-mêmes, plutôt que de se cacher dans la masse du troupeau et partager le fardeau, afin que le leur, personnel, soit plus léger. Des individualistes, monsieur Baley, des individualistes !

— Je comprends bien.

— Et c'est sur cela que notre société est fondée. Toutes les directions vers lesquelles les mondes spatiens se sont développés ont souligné davantage notre individualisme. Nous sommes fièrement humains, à Aurora, nous ne ressemblons pas aux moutons en troupeaux serrés de la Terre. Notez bien, monsieur Baley, que je n'emploie pas cette métaphore dans une intention péjorative. C'est simplement une société différente, que je ne puis admirer, mais que vous trouvez probablement idéale et rassurante.

— Quel rapport cela a-t-il avec la fondation de l'Institut, docteur Amadiro ?

— L'individualisme fier et sain a ses inconvénients. Les plus grands esprits, travaillant seuls même pendant des siècles, ne peuvent progresser rapidement, s'ils refusent de communiquer leurs découvertes. Un problème épineux peut retarder un savant d'un siècle, alors qu'un collègue peut avoir déjà la solution sans même se douter du problème qu'elle résout. L'Institut est donc une tentative pour introduire, au moins dans le domaine étroit de la robotique, une certaine communauté de pensée.

— Est-il possible que le problème particulièrement épineux auquel vous faites allusion soit celui de la construction du robot humaniforme ?

Les yeux d'Amadiro pétillèrent.

— Oui, c'est évident, n'est-ce pas ? Il y a trente-six ans que le nouveau système mathématique de Fastolfe, qu'il appelle l'analyse intersectionnelle, a rendu possible la conception de robots humaniformes, mais il a gardé ce système pour lui. Des années plus tard, quand tous les difficiles détails techniques furent aplanis, Sarton et lui ont appliqué leur théorie à la création, d'abord, de Daneel, puis de Jander, mais tous ces détails ont eux aussi été gardés secrets.

» La plupart des roboticiens haussaient les épaules et trouvaient cela naturel. Ils ne pouvaient qu'essayer, individuellement, d'aplanir les détails eux-mêmes. Moi, au contraire, j'ai été frappé par la possibilité d'un Institut où tous ces efforts seraient mis en commun. Ça n'a pas été facile de persuader d'autres roboticiens de l'utilité de ce projet, et de persuader la Législature de le subventionner, contre la redoutable opposition de Fastolfe, ni de persévérer durant des années d'efforts, mais nous avons fini par réussir.

— Pourquoi le Dr Fastolfe s'y opposait-il ?

— Par amour-propre pur et simple, pour commencer, et je n'ai rien à reprocher à cela, comprenez-vous. Nous avons tous de l'amour-propre, c'est bien normal. Cela fait partie de l'individualisme. Mais le point essentiel, c'est que Fastolfe se considère comme le plus grand roboticien de tous les temps et considère aussi le robot humaniforme comme sa réussite personnelle. Il ne veut pas que cette réussite soit imitée par un groupe de roboticiens, des individus anonymes comparés à lui-même. Je suppose qu'il considérait l'Institut comme une conspiration d'inférieurs destinée à affadir et déformer sa grande victoire.

— Vous dites que c'était la raison de son opposition « pour commencer ». Cela veut dire qu'il avait d'autres mobiles. Lesquels ?

— Il s'oppose aussi à l'utilisation que nous comptons faire des robots humaniformes.

— Quelle utilisation, docteur Amadiro ?

— Allons, allons, ne tournons pas autour du pot ! Le Dr Fastolfe vous a sûrement parlé des projets des globalistes pour la colonisation de la Galaxie.

— Oui, bien entendu, et d'ailleurs le Dr Vasilia m'a parlé des difficultés du progrès scientifique parmi les individualistes. Cela ne m'empêche cependant pas de vouloir entendre votre propre opinion en la matière. Et cela ne devrait pas vous empêcher de souhaiter me la donner. Par exemple, voulez-vous que j'accepte l'interprétation des plans des globalistes du Dr Fastolfe, en la jugeant objective et impartiale, et dans ce cas j'aimerais que vous le disiez. Ou préférez-vous me décrire ces projets à votre façon?

— Si vous le présentez ainsi, monsieur Baley, vous ne me laissez aucun choix.

— Aucun, docteur Amadiro.

— Très bien. Je... nous, devrais-je dire, car les membres de l'Institut sont tous du même avis, nous envisageons l'avenir et nous souhaitons voir l'humanité ouvrir de plus en plus de nouvelles planètes à la colonisation. Mais nous ne voulons pas que le processus d'auto-sélection détruise les autres planètes ou les rende moribondes comme dans le cas — pardonnez-moi — de la Terre. Nous ne voulons pas que les nouvelles planètes prennent le meilleur de nous en laissant la lie. Vous le comprenez, n'est-ce pas?

— Continuez, je vous en prie.

— Dans une société robotisée, comme la nôtre, la solution facile est d'envoyer des robots comme colons. Les robots construiront la société et le monde et ensuite nous pourrons tous suivre, plus tard, sans sélection, car le nouveau monde sera aussi confortable et bien adapté à nous-mêmes que l'étaient les anciens. Si bien que nous pourrons, si j'ose dire, émigrer dans de nouveaux mondes sans quitter le nôtre.

— Les robots ne vont-ils pas créer des mondes-robots, plutôt que des mondes humains?

— Précisément, si nous envoyons des robots qui ne sont que des robots. Nous avons cependant l'occasion d'envoyer des robots humaniformes, comme Daneel, qui en créant des mondes pour eux-mêmes créeront automatiquement des mondes pour nous. Le Dr Fastolfe s'y oppose. Il aime cette idée d'êtres humains taillant un nouveau monde dans une planète inconnue et hostile, il ne voit pas que l'effort pour y parvenir reviendrait non seulement très cher en vies humaines, mais créerait aussi un monde façonné par des événements catastrophiques qui ne ressemblerait en rien aux mondes que nous connaissons.

— Comme les mondes spatiens d'aujourd'hui sont différents de la Terre et les uns des autres?

Amadiro, un instant, perdit sa jovialité et devint songeur.

— A vrai dire, monsieur Baley, vous soulevez là un point important. Je ne parle que pour les Aurorains. Les mondes spatiens sont certes différents les uns des autres et je ne les aime guère, dans l'ensemble. Il est clair à mes yeux — mais je puis être de parti pris — qu'Aurora, le plus ancien de tous, est aussi le meilleur et le mieux réussi. Je ne veux pas de toute une variété de nouveaux mondes dont quelques-uns seulement auront réellement de la valeur. Je veux de nombreux Aurora, d'innombrables millions d'Aurora, et pour cette raison, je veux de nouveaux mondes taillés sur le modèle d'Aurora *avant* que des êtres humains y aillent. C'est pourquoi nous nous sommes baptisés « globalistes », incidemment. Nous nous intéressons à ce globe-ci, le nôtre, Aurora, et à nul autre.

— N'accordez-vous aucune valeur à la diversité, docteur Amadiro?

— Si toutes les variétés sont également bonnes, peut-être ont-elles de la valeur, mais si certaines, ou la majorité, sont inférieures, quel bénéfice y aurait-il pour l'humanité?

— Quand commencerez-vous ces travaux?

— Quand nous aurons les robots humaniformes pour les effectuer. Jusqu'à présent, il n'y avait que les deux de Fastolfe et il en a détruit un, laissant Daneel comme unique spécimen.

Tout en parlant, le roboticien détourna brièvement les yeux vers Daneel.

— Et quand aurez-vous les robots humaniformes?

— Difficile à dire. Nous n'avons pas encore rattrapé le Dr Fastolfe.

— Même s'il est tout seul alors que vous êtes nombreux?

Les épaules d'Amadiro se voûtèrent légèrement.

— Vos sarcasmes ne m'atteignent pas. Fastolfe nous devançait de loin, pour commencer, et il a continué d'avancer alors que l'Institut n'était encore et pour longtemps qu'à l'état d'embryon. Nous ne travaillons réellement que depuis deux ans. D'ailleurs, il faudra non seulement que nous rattrapions Fastolfe mais que nous le dépassions. Daneel est un bon produit mais il n'est qu'un prototype, et il n'est pas totalement satisfaisant.

— De quelle façon les robots humaniformes doivent-ils être améliorés, pour être meilleurs que Daneel ?

— Ils doivent être encore plus humains, évidemment. Il doit y en avoir des deux sexes, et il doit y avoir l'équivalent d'enfants. Nous avons besoin d'un étalement des générations, pour qu'une société suffisamment humaine soit construite sur les planètes.

— Je crois entrevoir les difficultés, docteur.

— Je n'en doute pas. Elles sont nombreuses. Quelles difficultés entrevoyez-vous, monsieur Baley ?

— Si vous produisez des robots si bien humaniformes qu'ils créeront une société humaine, et s'ils sont produits selon un étalement des générations, et des deux sexes, comment allez-vous les distinguer des êtres humains ?

— Vous croyez que ça a de l'importance ?

— Cela pourrait en avoir. Si ces robots sont trop humains, ils risquent de se fondre dans la société auroraine, de faire partie de groupes familiaux humains, et risquent de ne pas être aptes à servir de pionniers.

Cela fit rire Amadiro.

— Cette pensée vous est manifestement venue à cause de l'attachement de Gladia Delamarre pour Jander. Vous voyez que je suis au courant de votre interrogatoire de cette femme, d'après mes conversations avec Gremionis et avec le Dr Vasilia. Je vous rappelle que Gladia est solarienne et que son idée de ce qu'est un mari n'est pas nécessairement auroraine.

— Je ne pensais pas à elle en particulier. Je pensais

que la sexualité, à Aurora, est interprétée dans son sens le plus large et que les robots sont tolérés, déjà aujourd'hui, comme partenaires sexuels, alors que ces robots ne sont qu'approximativement humaniformes. Si vous ne pouvez réellement pas distinguer un robot d'un être humain...

— Il y a la question des enfants. Les robots ne peuvent pas en avoir.

— Mais cela soulève un autre point. Les robots devront avoir la vie longue, puisque la fondation d'une société peut durer des siècles.

— Oui, certainement et, de toute façon, ils doivent avoir une longue vie pour ressembler aux Aurorains.

— Et les enfants... Ils auront une longue vie, eux aussi ?

Amadiro ne répondit pas. Baley insista :

— Il y aura des enfants-robots artificiels qui ne vieilliront jamais, ils ne deviendront jamais adultes, ils ne mûriront jamais. Il me semble que cela créera un élément suffisamment non humain pour jeter le doute sur la nature de la société.

Amadiro soupira.

— Vous êtes perspicace, monsieur Baley. C'est effectivement notre intention de trouver un moyen qui permette aux robots de produire des bébés capables, d'une façon ou d'une autre, de grandir et de devenir adultes... du moins assez longtemps pour établir la société que nous voulons.

— Et ensuite, quand les êtres humains arriveront, les robots seront rendus à leur nature, et retrouveront un comportement plus robotique ?

— Peut-être... si cela paraît souhaitable.

— Et cette production de bébés ? De toute évidence, il vaudrait mieux que le système utilisé soit le plus proche de l'humain que possible, n'est-ce pas ?

— Sans doute.

— Rapports sexuels, fécondation, accouchement ?

— C'est possible.

— Et si ces robots fondent une société si humaine

qu'elle ne se distingue pas de celle des hommes, alors, quand les véritables êtres humains arriveront, est-ce que les robots ne risquent pas de protester contre l'invasion de ces immigrés, et de les chasser ? Ne vont-ils pas traiter les Aurorains comme vous traitez vous-mêmes les Terriens ?

— Mais les robots seraient encore tenus par les Trois Lois !

— Les Trois Lois stipulent que les robots ne doivent pas faire de mal aux êtres humains et doivent leur obéir.

— Précisément.

— Et si les robots sont si proches des êtres humains qu'ils se considèrent *eux-mêmes* comme des êtres humains qui doivent être protégés et à qui on doit obéir ? Ils pourraient, très vraisemblablement, se placer au-dessus des immigrants.

— Mon bon monsieur Baley, pourquoi vous inquiétez-vous tant de tout cela ? Cela se passera dans un lointain avenir. On aura trouvé des solutions, à mesure que se feront les progrès et à mesure que nous comprendrons, grâce aux observations, ce que sont vraiment les problèmes.

— Il est possible, docteur Amadiro, que les Aurorains n'approuvent guère ce que vous projetez, une fois qu'ils auront compris ce que c'est. Ils risquent de préférer le point de vue du Dr Fastolfe.

— Vraiment ? Le Dr Fastolfe estime que si les Aurorains ne peuvent pas coloniser de nouvelles planètes eux-mêmes et sans l'aide des robots, alors les Terriens devraient être autorisés à le faire.

— Il me semble que c'est le bon sens même.

— Parce que vous êtes un Terrien. Je vous assure que les Aurorains ne trouveraient pas du tout agréable que des Terriens grouillent partout dans les nouveaux mondes, construisent de nouvelles ruches et forment une espèce d'empire galactique avec leurs trillions et quadrillions et réduisent les mondes spatiens à quoi ? A l'insignifiance, au mieux, et à l'extinction, au pire.

— Mais l'autre choix est une multitude de mondes de robots humaniformes, construisant des sociétés quasi humaines sans accueillir parmi eux de véritables êtres humains. Ils créeraient progressivement un empire galactique robotique, réduisant les mondes spatiens à l'insignifiance au mieux ou à l'extinction au pire. Les Aurorains préféreraient sûrement un empire galactique humain à un empire robotique !

— Comment pouvez-vous en être si certain, monsieur Baley ?

— Cette certitude me vient de la forme que prend maintenant votre société. On m'a dit, pendant mon vol vers Aurora, qu'il n'existait ici aucune ségrégation entre les robots et les êtres humains mais c'est manifestement faux. C'est peut-être un idéal, que les Aurorains eux-mêmes croient avoir réalisé et dont ils se flattent, mais ce n'est pas vrai.

— Vous êtes ici depuis... quoi ? Moins de deux jours, et vous pouvez déjà le voir ?

— Oui, docteur Amadiro. C'est sans doute précisément parce que je suis un étranger que je le vois plus clairement. Je ne suis pas aveuglé par les usages et les idéaux. Les robots n'ont pas le droit d'entrer dans les Personnelles, par exemple, et c'est là une ségrégation évidente. Cela permet aux êtres humains d'avoir un endroit où ils sont seuls. Par ailleurs, vous et moi sommes confortablement assis, alors que les robots restent debout dans leurs niches, comme vous le voyez, dit Baley en tendant un bras vers Daneel. C'est une autre forme de ségrégation. Je crois que les êtres humains, même les Aurorains, voudront toujours établir une distinction et préserver leur propre humanité.

— Ahurissant !

— Cela n'a rien d'ahurissant, docteur. Vous avez perdu. Même si vous réussissez à faire croire à tout Aurora que le Dr Fastolfe a détruit Jander, même si vous réduisez Fastolfe à l'impuissance politique, même si vous obtenez de la Législature et du peuple aurorain qu'ils approuvent votre projet de colonisation par des robots, vous n'aurez fait que gagner du temps. Dès que les Aurorains comprendront toutes les implications de votre plan, ils se retourneront contre vous. Il vaudrait donc mieux, dans ces conditions, que vous mettiez fin à votre campagne contre le Dr Fastolfe et que vous le rencontriez, pour mettre au point un compromis par lequel la colonisation des nouveaux mondes par les Terriens pourra être organisée de manière à ne représenter aucune menace pour Aurora, ni pour les mondes spatiens en général.

— Ahurissant, monsieur Baley, répéta le docteur Amadiro.

— Vous n'avez pas le choix!

Amadiro répondit nonchalamment et d'un air amusé :

— Quand je dis que vos réflexions sont ahurissantes, je ne veux pas parler de vos déclarations elles-mêmes, mais du simple fait que vous les proféreiz, en vous imaginant qu'elles valent quelque chose.

56

Baley regarda Amadiro prendre la dernière pâtisserie et mordre dedans avec une satisfaction évidente.

— Délicieux, dit le roboticien. Mais j'aime un peu trop les bonnes choses. Voyons, où en étais-je?... Ah oui! monsieur Baley, croyez-vous avoir découvert un secret? Que je vous ai révélé quelque chose que notre monde ne sait pas encore? Que mes plans sont dangereux mais que je les expose à tous les nouveaux venus? Vous devez penser que si je vous parle assez longtemps, je finirai par laisser échapper quelque sottise dont vous pourrez profiter. Soyez assuré que cela ne m'arrivera pas. Mes projets de robots encore plus humaniformes, de familles-robots, d'une culture aussi

110

humaine que possible, sont tous bien connus. Ils sont enregistrés et à la disposition de la Législature et de tous ceux qui sont intéressés.

— Est-ce que le grand public les connaît ?

— Probablement pas. Le grand public a ses propres priorités et s'intéresse davantage à son prochain repas, à la nouvelle émission en hypervision, au prochain match de cosmo-polo qu'au prochain siècle ou au prochain millénaire. Mais le grand public sera aussi heureux d'accepter mes projets que l'élite intellectuelle qui les connaît déjà. Ceux qui s'y opposeront ne seront pas assez nombreux pour avoir de l'importance.

— En êtes-vous bien certain ?

— Chose curieuse, oui. J'ai peur que vous ne compreniez pas, hélas ! l'intensité de l'animosité des Aurorains, et des Spatiens en général, contre les Terriens. Je ne partage pas ces sentiments, notez bien, et je me sens tout à fait à l'aise avec vous, par exemple. Je n'ai pas cette peur primitive de la contamination, je n'imagine pas que vous sentez mauvais, je ne vous attribue pas toutes sortes de traits de caractère que je juge offensants, je ne pense pas que vous et vos semblables complotiez pour nous tuer ou nous voler nos biens... mais l'immense majorité des Aurorains nourrit ces préjugés. Ce n'est peut-être pas toujours conscient et les Aurorains peuvent être très polis avec des Terriens individuels qui leur paraissent inoffensifs, mais mettez-les à l'épreuve et vous verrez émerger toute la haine et tous les soupçons. Dites-leur que les Terriens grouillent dans de nouveaux mondes et vont s'emparer de la Galaxie, et ils réclameront à grands cris la destruction de la Terre plutôt que de lui permettre une chose pareille.

— Même si l'unique autre choix est une société-robot ?

— Certainement. Vous ne comprenez pas non plus ce que nous éprouvons à l'égard des robots. Nous sommes familiers avec eux. Nous sommes à l'aise avec eux. Ils sont nos amis.

— Non. Ils sont vos serviteurs. Vous vous sentez supérieurs et vous êtes à l'aise avec eux uniquement tant que cette supériorité reste établie. Si vous êtes menacés par un renversement de la situation, s'ils deviennent vos supérieurs, vous réagirez avec horreur.

— Vous jugez en vous fondant sur la réaction des Terriens.

— Non. Vous les tenez à l'écart des Personnelles. C'est un signe.

— Ils n'ont que faire de ces endroits. Ils ont leurs propres commodités pour se laver et ils n'excrètent pas. Naturellement, ils ne sont pas vraiment humaniformes. S'ils l'étaient, nous ne ferions peut-être pas cette distinction.

— Vous les craindriez encore plus.

— Vraiment ? C'est ridicule ! répliqua Amadiro. Craignez-vous Daneel ? Si je peux me fier à cette fameuse émission, mais j'avoue que je n'y crois guère, vous vous êtes pris d'une considérable affection pour Daneel. Vous en éprouvez en ce moment, n'est-ce pas ?

Le silence de Baley fut éloquent et Amadiro profita de son avantage.

— En ce moment, cela ne vous fait rien que Giskard soit là debout, silencieux et sans réaction, dans une alcôve, mais je vois bien, à de petits gestes, de menus détails de langage corporel, que cela vous gêne que Daneel soit là aussi de la même façon. Vous le sentez trop humain, d'aspect, pour être traité comme un robot. Vous ne le craignez pas davantage parce qu'il a l'air humain.

— Je suis un Terrien. Nous avons des robots, mais pas une culture robotisée. Vous ne pouvez pas juger à partir de mon cas personnel.

— Et Gladia, qui préférait Jander à des êtres humains...

— Elle est solarienne. C'est un mauvais exemple aussi.

— Sur quel exemple vous fondez-vous donc pour juger ? Vous tâtonnez, c'est tout. Pour moi, il paraît évident que si un robot était suffisamment humain, il serait accepté comme un être humain. Est-ce que vous me demandez de prouver que je ne suis pas un robot ? J'ai l'air humain et cela vous suffit. A la fin, peu nous importera qu'un nouveau monde soit colonisé par des Aurorains humains de fait ou d'apparence, si personne ne peut distinguer la différence. Mais — humains ou robots — les colons seront entièrement et tous *aurorains*, pas terriens.

L'assurance de Baley vacilla. Il dit, sans conviction :

— Et si vous ne parvenez jamais à construire des robots humaniformes ?

— Pourquoi n'y parviendrions-nous pas ? Notez bien que je dis « nous ». Nous sommes nombreux dans cette affaire.

— Il se peut que, même nombreuses, des médiocrités ne s'additionnent pas pour donner un génie.

— Nous ne sommes pas des médiocres, rétorqua sèchement Amadiro. Fastolfe trouvera peut-être profitable un jour de se joindre à nous.

— Je ne le crois pas.

— Moi si. Cela ne va pas lui plaire d'être sans aucun pouvoir dans la Législature, et quand nos projets de colonisation de la Galaxie avanceront, quand il verra que son opposition ne nous arrête pas, il se joindra à nous. Sinon, il ne serait pas humain.

— Je ne crois pas que vous gagnerez, dit Baley.

— Parce que vous imaginez que votre enquête va innocenter Fastolfe, m'impliquer, peut-être, moi ou un autre ?

— Peut-être, dit Baley en désespoir de cause.

Amadiro secoua la tête.

— Mon ami, si je pensais que ce que vous pouvez faire risque de ruiner mes projets, serais-je assis là et attendrais-je tranquillement ma destruction ?

— Vous n'êtes pas tranquille. Vous faites tout ce que vous pouvez pour que cette enquête échoue. Pourquoi agir de cette manière si vous êtes sûr que rien de ce que je peux faire ne compromettra vos plans ?

— Eh bien... Vous pouvez me gêner en démoralisant certains membres de cet Institut. Vous ne pouvez pas être dangereux, mais vous pouvez être agaçant et je ne veux pas de ça non plus. Donc, si je peux, je me débarrasserai du sujet d'agacement... mais je le ferai d'une manière raisonnable, en douceur même. Si vous étiez réellement dangereux...

— Que feriez-vous dans ce cas, docteur Amadiro ?

— Je pourrais vous faire emprisonner jusqu'à votre expulsion. Je ne crois pas que les Aurorains en général s'inquiéteraient beaucoup de ce que je ferais à un Terrien.

— Vous cherchez à m'impressionner mais ça ne marchera pas. Vous savez très bien que vous ne pouvez pas lever la main sur moi en présence des mes robots.

— Vous ne vous doutez donc pas que j'ai cent robots à portée de voix ? Que pourraient faire alors les vôtres ?

— Vos cent robots ne pourraient me faire de mal. Ils ne savent pas distinguer les Terriens des Aurorains. Je suis un être humain, selon l'acception des Trois Lois.

— Ils pourraient vous immobiliser, sans vous faire de mal, pendant que vos robots seraient détruits.

— Non, absolument pas. Giskard vous entend et si vous faites un mouvement pour appeler vos robots, c'est *vous* qui serez immobilisé par Giskard. Il agit très rapidement et, à ce moment, vos robots seront impuissants, même si vous réussissez à les appeler. Ils comprendront que le moindre geste contre moi provoquerait une blessure pour vous.

— Vous voulez dire que Giskard me ferait du mal ?

— Pour me protéger ? Certainement. Il vous tuerait, si c'était absolument nécessaire.

— Vous ne parlez pas sérieusement !

— Si, répliqua Baley. Daneel et Giskard ont reçu l'ordre de me protéger. La Première Loi, dans ce cas, a été renforcée, avec toute l'habileté que le Dr Fastolfe peut consacrer à la tâche, pour me concerner, moi particulièrement. On ne me l'a pas dit carrément, mais je sais pertinemment que c'est vrai. Si mes robots doivent choisir entre le mal pour vous ou le mal pour moi, tout Terrien que je suis, il leur sera facile de choisir de vous faire du mal, à vous. Vous devez certainement savoir que le Dr Fastolfe ne serait pas très empressé à assurer votre sauvegarde.

Amadiro rit tout bas, puis il sourit.

— Je suis sûr que vous avez parfaitement raison, en tout point, monsieur Baley, mais je suis très heureux de vous l'entendre dire. Vous savez, mon bon monsieur, que j'enregistre cette conversation aussi — je vous en ai averti tout de suite — et je m'en félicite. Il est possible que le Dr Fastolfe efface la dernière partie de cette conversation mais pas moi, je vous le garantis. Il est clair, d'après ce que vous venez de me dire, qu'il est tout prêt à imaginer un moyen robotique de me faire du mal — et même de me tuer s'il peut y arriver —, alors que rien, dans cette conversation, ou dans n'importe quelle autre, ne permet de dire que je médite de lui faire physiquement du mal, d'une façon ou d'une autre, ni même à vous. Alors, de nous deux, qui est le méchant, monsieur Baley?... Je pense que vous l'avez établi et je crois donc que c'est le parfait moment pour mettre fin à cette entrevue.

Amadiro se leva, toujours souriant, et Baley l'imita presque machinalement.

— Un dernier mot, cependant, monsieur Baley. Cela n'a rien à voir avec notre petit contretemps, ici à Aurora, celui de Fastolfe et le mien. Plutôt avec votre propre problème.

— Mon problème?

— Le problème de la Terre, devrais-je dire. Vous êtes très anxieux de sauver ce pauvre Fastolfe de sa folie, parce que vous pensez que cela donnera à votre planète une chance d'expansion... Ne vous illusionnez pas. Vous vous trompez absolument, vous êtes cul-dessus-dessous, pour employer une expression plutôt triviale découverte dans certains des romans historiques de votre planète.

— Je ne la connais pas, dit Baley d'un air pincé.

— J'entends par là que vous renversez la situation. Voyez-vous, quand mon point de vue se sera imposé à la Législature — et vous remarquerez que je dis « quand » et non « si » —, la Terre sera forcée de rester dans son propre petit système planétaire, je l'avoue, mais en réalité ce sera un mal pour un bien. Aurora aura des perspectives d'expansion, d'établissement d'un empire infini... Si à ce moment nous savons que la Terre ne sera jamais que la Terre et rien de plus, en quoi nous inquiétera-t-elle ? Avec la Galaxie à notre disposition, nous abandonnerons volontiers aux Terriens leur petit monde. Nous serons même disposés à rendre la Terre aussi confortable que possible pour sa population.

» D'un autre côté, si les Aurorains font ce que demande Fastolfe et permettent aux Terriens d'aller explorer et coloniser, nous serons bientôt de plus en plus nombreux à comprendre que la Terre va s'emparer de la Galaxie, que nous serons encerclés, investis, condamnés à dépérir et à mourir. A ce moment, je ne pourrai plus rien faire. Mes sentiments bienveillants envers les Terriens ne seront pas capables de résister au déferlement général de méfiance et de préjugés et ce sera alors *très* mauvais pour la Terre.

» Donc, monsieur Baley, si vous avez un réel et sincère souci de votre peuple, vous devriez vivement souhaiter, au contraire, que Fastolfe ne réussisse pas à imposer à cette planète son projet très mal inspiré. Vous devriez être mon solide allié. Réfléchissez. Et j'ajouterai ceci : je parle, je vous l'assure, par très sincère amitié, pour vous et pour votre planète.

Amadiro souriait toujours aussi largement, mais maintenant c'était vraiment un sourire de loup.

57

Baley et ses robots suivirent Amadiro hors de la pièce et le long d'un corridor.

Le roboticien s'arrêta devant une porte discrète.

— Voudriez-vous profiter des commodités avant de partir ? proposa-t-il.

Baley fut un instant dérouté, car il ne comprenait pas. Puis il se rappela la formule désuète qu'Amadiro avait dû glaner au cours de ses lectures de romans historiques.

— Un très ancien général, dont j'ai oublié le nom, a dit un jour, songeant aux terribles exigences des affaires militaires : « Ne refusez jamais une occasion de pisser. »

Amadiro sourit largement.

— Excellent conseil. Tout aussi bon que le conseil que je vous ai donné de réfléchir sérieusement à ce que j'ai dit... Mais je vous vois hésiter malgré tout. Vous ne pensez tout de même pas que je vous tends un piège ? Croyez-moi, je ne suis pas un barbare. Vous êtes ici mon invité et, pour cette seule raison, vous êtes en parfaite sécurité.

— Si j'hésite, c'est parce que je m'interroge, je me demande s'il est bienséant que j'utilise vos... euh... commodités, alors que je ne suis pas aurorain.

— Ridicule, mon cher Baley. Vous n'avez pas le choix. Nécessité n'a point de loi. Utilisez, utilisez, je vous en prie. Que ce soit le symbole de ma libération de tous les préjugés aurorains, le signe que je ne veux que du bien à la Terre et à vous.

— Pourriez-vous faire plus encore ?

— En quel sens ?

— Pourriez-vous me montrer que vous êtes réellement au-dessus du préjugé de cette planète contre les robots...

— Il n'y a aucun préjugé contre les robots, trancha vivement le roboticien.

Baley hocha gravement la tête, comme pour acquiescer, et termina sa phrase :

— ... en leur permettant d'entrer dans la Personnelle avec moi ? Je me suis si bien habitué à leur présence que, sans eux, je me sens mal à l'aise.

Un instant, Amadiro parut choqué, mais il se ressaisit et dit d'assez mauvaise grâce :

— Naturellement, monsieur Baley.

— Cependant, la personne qui s'y trouve déjà pourrait élever de sérieuses objections. Je ne voudrais pas causer de scandale.

— Il n'y a là personne. C'est une Personnelle d'une place seulement et si elle était occupée en ce moment, un signal l'indiquerait.

— Merci, docteur Amadiro, dit Baley en ouvrant la porte. Giskard, entre, s'il te plaît.

Giskard hésita visiblement mais ne protesta pas et obéit. Sur un geste de Baley, Daneel le suivit mais en franchissant le seuil, il prit Baley par le bras et le tira à l'intérieur.

Tandis que la porte se refermait derrière lui, Baley dit à Amadiro :

— Je n'en ai pas pour longtemps. Je vous remercie d'avoir permis ceci.

Il entra dans la pièce avec autant d'insouciance qu'il le put, mais en éprouvant toutefois une crispation au creux de l'estomac. N'allait-il pas trouver là une surprise désagréable ?

58

La Personnelle était vide. Il n'y avait même pas grand-chose à examiner. Elle était beaucoup plus petite que celle de l'établissement de Fastolfe.

Baley finit par remarquer que Daneel et Giskard se tenaient côte à côte, silencieux, adossés à la porte comme s'ils s'efforçaient de pénétrer le moins possible dans la pièce.

Il essaya de parler normalement mais une sorte de vague croassement sortit de sa gorge. Il toussota, trop bruyamment, et réussit à dire :

— Vous pouvez entrer, tous les deux. Et tu n'as pas besoin de garder le silence, Daneel.

Daneel avait été sur la Terre; il connaissait le tabou interdisant toute conversation dans les Personnelles. Il porta un doigt à ses lèvres.

— Je sais, je sais, dit Baley, mais oublie ça. Si Amadiro peut oublier le tabou aurorain contre les robots dans les Personnelles, je peux bien oublier le tabou terrien interdisant d'y parler.

— Cela ne va-t-il pas vous mettre mal à l'aise, camarade Elijah ? demanda Daneel à voix basse.

— Pas le moins du monde, affirma Baley sur un ton normal.

(En réalité, c'était différent de parler à Daneel... un robot. Le son d'une voix, de la parole dans une pièce telle que celle-ci où, à vrai dire, aucun *être humain* n'était présent, était moins scandaleux qu'il aurait pu l'être. Ce n'était même pas scandaleux du tout, avec seulement des robots présents, si humaniforme que pût être l'un d'eux. Baley ne pouvait l'affirmer cependant. Si Daneel n'avait pas de sentiments qu'un être humain était capable de blesser, Baley en avait pour lui.)

Baley pensa alors à autre chose et il eut la nette impression d'être un parfait imbécile. Il baissa la voix à son tour.

— Ou bien conseilles-tu le silence parce qu'il peut y avoir un système d'écoute ? chuchota-t-il et, pour le dernier mot, il se contenta de remuer simplement les lèvres.

— Si vous voulez dire, camarade Elijah, que des personnes en dehors de cette pièce peuvent percevoir ce qui est dit à l'intérieur par l'un ou l'autre système, c'est tout à fait impossible.

— Pourquoi, impossible?

La chasse d'eau s'actionna d'elle-même, avec une efficacité rapide et silencieuse, et Baley s'approcha du lavabo.

— Sur Terre, dit Daneel, le surpeuplement des Villes rend toute intimité impossible. Il va de soi d'écouter les autres et employer un système pour rendre l'écoute meilleure peut sembler naturel. Si un Terrien souhaite ne pas être entendu, il n'a qu'à ne pas parler. C'est pourquoi le silence est si fortement imposé quand il existe un semblant d'intimité, comme dans cette pièce même que vous appelez Personnelle.

» A Aurora, d'autre part, comme dans tous les mondes spatiens, l'intimité est l'essence même de la vie et on la juge extrêmement précieuse. Vous vous souvenez de Solaria, et à quelles extrémités pathologiques elle atteint là-bas. Mais même à Aurora, qui n'est pas Solaria, chaque être humain est isolé et protégé des autres par une sorte d'extension de l'espace qui est inconcevable sur la Terre, et par, en plus, un rempart de robots. Violer cette intimité est un acte inimaginable.

— Tu veux dire que ce serait un crime d'installer un système d'écoute dans cette pièce? demanda Baley.

— Bien pire, camarade Elijah. Ce ne serait pas l'acte d'un gentleman aurorain civilisé.

Baley regarda autour de lui. Daneel, se méprenant sur le mouvement, détacha une serviette d'un distributeur qui n'était peut-être pas immédiatement apparent aux yeux d'un Terrien peu habitué à ces lieux, et la tendit à Baley.

Baley la prit, mais ce n'était pas ce qu'il avait cherché. Ses yeux guettaient un micro clandestin car il avait du mal à croire que l'on renoncerait à une astuce sous prétexte qu'elle ne serait pas digne d'un être civilisé. Mais, comme il s'en doutait un peu, il chercha en vain. D'ailleurs, il n'aurait pas été capable de reconnaître un micro aurorain, même s'il y en avait eu un. Dans cette civilisation inconnue, il ne savait pas ce qu'il cherchait au juste.

Il suivit alors le cours d'autres pensées méfiantes qui le tourmentaient.

— Dis-moi, Daneel, puisque tu connais les Aurorains mieux que moi, pourquoi penses-tu qu'Amadiro prend ainsi des gants avec moi ? Il me parle à loisir. Il me raccompagne à la porte. Il m'offre l'usage de cette pièce, ce que Vasilia n'aurait jamais fait. Il a l'air d'avoir tout le temps du monde à me consacrer. Par politesse ?

— Beaucoup d'Aurorains se flattent de leur politesse. Il se peut que ce soit le cas d'Amadiro. Il a souligné plusieurs fois, avec insistance, qu'il n'était pas un barbare.

— Autre question. Pourquoi penses-tu qu'il ait consenti à ce que Giskard et toi m'accompagnent ici dans cette pièce ?

— Il me semble que c'est pour dissiper votre soupçon qu'il pourrait y avoir un piège ici.

— Mais pourquoi s'est-il donné cette peine ? Parce qu'il craignait que j'éprouve une anxiété inutile ?

— Ce doit être encore le geste de courtoisie d'un Aurorain civilisé, je suppose.

Baley secoua la tête.

— Ma foi, s'il y a ici un système d'écoute et si Amadiro m'entend, tant pis. Je ne le considère pas comme un Aurorain civilisé. Il a clairement laissé entendre que si je ne renonçais pas à cette enquête, il veillerait à ce que la Terre, dans son ensemble, en souffre. Est-ce l'acte d'un civilisé ? Ou d'un maître chanteur brutal ?

— Un Aurorain trouve peut-être nécessaire de proférer des menaces mais il le fait d'une manière courtoise.

— Comme l'a fait Amadiro. C'est donc la manière et non la substance des propos qui marque le gentleman. Mais aussi, Daneel, tu es un robot et par conséquent tu ne peux réellement pas critiquer un être humain, n'est-ce pas ?

— J'aurais du mal à le faire. Mais puis-je poser une question, camarade Elijah ? Pourquoi avez-vous demandé la permission de faire entrer l'Ami Giskard et moi ici ? Il m'a semblé, plus tôt, que vous n'aimiez pas vous croire en danger. Jugez-vous maintenant que vous n'êtes pas en sécurité, sauf en notre présence ?

— Non, pas du tout, Daneel. Je suis tout à fait convaincu de ne pas être en danger et je ne le pensais pas avant.

— Cependant, camarade Elijah, quand vous êtes entré vous aviez une attitude nettement soupçonneuse. Vous avez tout fouillé.

— Naturellement ! Je dis que je ne suis pas en danger mais je ne dis pas qu'il n'y a pas de danger.

— Je ne vois pas très bien la différence, camarade Elijah.

— Nous parlerons de ça plus tard, Daneel. Je ne suis pas encore tout à fait persuadé qu'il n'y a ici aucun système d'écoute.

Baley avait achevé de se rafraîchir.

— Voilà, Daneel. J'ai pris mon temps, je ne me suis pas pressé du tout. Maintenant je suis prêt à ressortir et je me demande si Amadiro nous attend encore, ou s'il a délégué un subordonné pour nous accompagner jusqu'à la sortie. Après tout, Amadiro est un homme très occupé et il ne peut pas passer toute la journée avec moi. Qu'en penses-tu, Daneel ?

— Il serait plus logique qu'Amadiro ait délégué ses pouvoirs à quelqu'un.

— Et toi, Giskard ? Qu'en penses-tu ?

— Je suis d'accord avec l'Ami Daneel, bien que mon expérience m'ait appris que les êtres humains n'ont pas toujours une réaction logique.

— Pour ma part, dit Baley, je pense qu'Amadiro nous attend très patiemment. Si quelque chose l'a poussé à perdre tellement de temps avec nous, je pense que ce mobile, quel qu'il soit, reste toujours aussi fort.

— Je ne sais quel peut être ce mobile dont vous parlez, camarade Elijah.

— Moi non plus, Daneel. Et cela m'inquiète beaucoup. Mais ouvrons la porte, maintenant. Nous verrons bien.

59

Amadiro les attendait, à l'endroit précis où ils l'avaient laissé. Il leur sourit, sans manifester la moindre impatience. Baley ne put résister au plaisir de jeter à Daneel un petit coup d'œil — « je te le disais bien ». Daneel resta parfaitement impassible.

— Je regrette un peu, monsieur Baley, que vous n'ayez pas laissé Giskard dehors, quand vous êtes entré dans la Personnelle, dit Amadiro. Je le connaissais autrefois, quand Fastolfe et moi étions en meilleurs termes. Fastolfe a été mon professeur, vous savez.

— Vraiment ? Non, je ne le savais pas.

— Evidemment, si on ne vous l'a pas dit, et vous êtes depuis si peu de temps sur la planète que vous n'avez guère pu apprendre ce genre de détails mineurs, sans doute. Mais venez, je vous prie. J'ai pensé que vous ne me trouveriez guère hospitalier si je ne profitais pas de votre présence à l'Institut pour vous le faire visiter.

Baley se raidit un peu.

— Vraiment, je dois...

— J'insiste, dit Amadiro avec une nuance d'autorité dans la voix. Vous êtes arrivé à Aurora hier matin et je doute que vous restiez encore bien longtemps sur la planète. C'est peut-être la seule occasion que vous aurez d'avoir un aperçu d'un laboratoire moderne consacré à des travaux de recherche sur la robotique.

Il glissa son bras sous celui de Baley et continua de parler familièrement. (« Bavarder » fut le mot qui vint à l'esprit de Baley, fort étonné.)

— Il peut y avoir ici d'autres roboticiens que vous voudriez interroger et je ne demande pas mieux puisque je suis résolu à vous montrer que je ne place aucun obstacle sur votre chemin, durant le peu de temps qui vous reste pour poursuivre votre enquête. En fait, il n'y a pas de raison que vous ne dîniez pas avec nous.

Giskard intervint :

— Si je puis me permettre, monsieur...

— Tu ne le peux pas, trancha Amadiro avec une indiscutable fermeté et le robot se tut. Mon cher Baley, je connais ces robots. Qui les connaîtrait mieux que moi ? A part notre infortuné Fastolfe, bien entendu. Giskard, j'en suis sûr, va vous rappeler quelque rendez-vous, un problème, un devoir, et c'est tout à fait inutile. Comme l'enquête est pratiquement terminée, je vous promets que rien de ce qu'il veut vous rappeler n'a d'importance. Oublions toutes ces sottises et, pendant un petit moment, soyons amis...

» Vous devez comprendre que je suis un grand admirateur de la Terre et de sa culture. Ce n'est pas précisément le sujet le plus populaire, à Aurora, mais je le trouve fascinant. Je m'intéresse sincèrement à l'histoire et au passé de la Terre, au temps où elle avait une centaine de langues différentes, où le Standard interstellaire ne s'était pas encore répandu. Et permettez-moi de vous féliciter, incidemment, de votre propre maîtrise de ce langage.

» Par ici, par ici, dit-il en tournant au coin d'un couloir. Nous arrivons à la salle des sentiers simulés qui ne manque pas d'une étrange beauté particulière. Il peut y avoir une simulation en cours. Tout à fait symbolique, en réalité... Mais je parlais de votre maîtrise de l'interstellaire. Quand cette émission sur vous a été diffusée ici, beaucoup de gens ont dit que les acteurs ne pouvaient être des Terriens parce qu'on les comprenait, et pourtant je vous comprends très bien.

En disant cela, Amadiro sourit. Il reprit sur un ton confidentiel :

— J'ai essayé de lire Shakespeare, mais il m'a été impossible de le faire dans le texte original, et la traduction est curieusement plate. Je ne puis m'empêcher de penser que la faute en est à la traduction et non à Shakespeare. Je me débrouille mieux avec Dickens et Tolstoï, peut-être parce que c'est de la prose, bien que les noms des personnages soient, dans les deux cas, tout à fait imprononçables.

» Tout ceci pour vous dire que je suis un ami de la Terre. Vraiment. Je ne désire que ce qu'il y a de mieux pour elle. Comprenez-vous ?

Il regarda Baley, et de nouveau le loup se devina dans ses yeux pétillants.

Baley éleva la voix pour couvrir le débit monotone du roboticien.

— Je crains de ne pouvoir accepter, docteur Amadiro. Je dois réellement aller à mes affaires et je n'ai plus de questions à vous poser, ni à personne d'autre ici. Si vous...

Baley s'interrompit. Il percevait dans l'air un faible et curieux grondement. Il releva la tête, surpris.

— Qu'est-ce que c'est ?

— Quoi donc ? demanda Amadiro. Je ne remarque rien.

Il se tourna vers les deux robots, qui suivaient gravement, à distance.

— Rien ! répéta-t-il avec force. Rien.

Baley reconnut là l'équivalent d'un ordre. Aucun des robots ne pourrait maintenant prétendre avoir entendu le grondement, en contradiction flagrante avec un être humain, à moins que Baley lui-même applique une contre-pression, et il était certain de ne pouvoir le faire assez habilement, face au professionnalisme d'Amadiro.

Cela n'avait d'ailleurs aucune importance. Il avait bien entendu quelque chose et il n'était pas un robot ; on ne pourrait pas le persuader du contraire.

— Vous avez dit vous-même, docteur Amadiro, qu'il me reste peu de temps. Raison de plus pour que je doive...

Le grondement reprit, plus fort. Baley déclara, sur un ton tranchant :

— Voilà, je suppose, précisément ce que vous n'aviez pas entendu et que vous n'entendez pas maintenant.

Laissez-moi partir, monsieur, sinon je demanderai de l'aide à mes robots.

Amadiro lâcha aussitôt le bras de Baley.

— Mon ami, vous n'avez qu'à en exprimer le désir. Venez ! Je vais vous conduire jusqu'à la sortie la plus proche et, si jamais vous revenez sur Aurora, ce qui me semble extrêmement peu probable, j'espère que vous viendrez me voir et que j'aurai le plaisir de vous faire faire la visite promise.

Ils marchaient plus vite. Ils descendirent par la rampe en spirale, suivirent un long couloir jusqu'à la grande antichambre maintenant déserte et arrivèrent à la porte par laquelle ils étaient entrés.

Les fenêtres de l'antichambre étaient complètement obscures. Serait-ce déjà la nuit ? se demanda Baley.

Ça ne l'était pas. Amadiro marmonna :

— Sale temps ! On a opacifié les fenêtres... Il doit pleuvoir. On l'a prédit et en général on peut se fier aux prévisions météorologiques... en tout cas, quand elles sont désagréables.

La porte s'ouvrit et Baley laissa échapper un petit cri en faisant un bond en arrière. Un vent glacial soufflait en rafales et, sur le fond du ciel — pas noir mais gris foncé —, le sommet des arbres était fouetté en tous sens.

De l'eau tombait du ciel, à torrents. Baley, épouvanté, vit un éclair de lumière aveuglante zébrer le ciel et puis le grondement se refit entendre, cette fois avec un grand fracas d'explosion, comme si cette vive lumière avait déchiré les nuages pour en laisser échapper ce bruit horrible.

Baley tourna les talons et rebroussa chemin de toute la vitesse de ses jambes, en gémissant.

Les éclairs scintillaient presque continuellement et le
tonnerre n'était qu'un grondement incessant s'élevant
toutes les quelques minutes en un crescendo fracas-
sant.
Pour la première fois de sa vie, Baley se surprit à
envier un robot. Pouvoir marcher ainsi, être indifférent
à l'eau, au bruit, aux éclairs, être capable d'ignorer l'environnement et jouir d'une pseudo-vie absolument cou-
rageuse, ne pas connaître la peur de la douleur ou de la
mort, parce que la peur et la mort n'existaient pas...
Et, cependant, être incapable d'une originalité de
pensée, ne jamais connaître les bonds imprévisibles de
l'intuition...

Les dons valaient-ils le prix que l'humanité payait
pour eux?
À ce moment-là, Baley n'aurait pu le dire. Il savait
une fois qu'il n'éprouverait plus de terreur, il décou-
vrit qu'aucun prix n'est trop élevé pour avoir le pri-
vilège d'être humain. Mais à présent, alors qu'il ne ressentait rien d'autre que les battements de son cœur et
l'abandon de toute volonté, il ne pouvait s'empêcher de se
demander à quoi servait d'être humain si l'on ne pouvait maîtriser cette terreur profondément enraci-
née, une agoraphobie maladive.
Pourtant, il y avait deux jours qu'il circulait à l'Extérieur. Il avait réussi à y être presque à l'aise.
Mais sa peur n'avait pas été vaincue. Il le savait maintenant. Il l'avait étouffée en pensant avec force à d'autres choses, mais l'orage écrasait toute pensée, forte ou
faible.

Il ne pouvait pas le permettre. Si tout le reste
échouait — la pensée, la fierté, la volonté —, alors il
devrait se rabattre sur la honte. Il ne pouvait pas s'ef-
fondrer sous le regard supérieur et impersonnel des
robots. La honte devait être plus forte que la peur.
Il sentit la main ferme de Daneel sur sa taille et la
tentation de faire la seule chose qu'il voulait faire —
simplement se tourner vers lui et cacher sa figure

XV

Daneel et Giskard

60

Baley sentit la poigne solide de Daneel sur le haut de
son bras, près de l'épaule. Il s'arrêta et s'efforça de
maîtriser ses gémissements puérils, mais continua de
trembler.
Daneel lui dit, avec un respect infini :
— Camarade Elijah, c'est un orage... attendu... prédit... normal.
— Je le sais, souffla Baley.
Oui, il le savait. Les orages avaient été longuement
décrits dans les livres qu'il avait lus, romans ou docu-
ments. Il en avait vu en photographie et en hypervision, avec le bruit et tout.
Mais la réalité, cependant (le son et le spectacle
réels), n'avait jamais pénétré dans les entrailles de la
Ville et jamais de sa vie il n'avait assisté à pareil phénomène.
Malgré tout ce qu'il savait — intellectuellement —
des orages, il était viscéralement incapable d'affronter
leur réalité. En dépit des descriptions, des collections
de mots, de ce qu'il avait vu sur de petites illustrations
et des écrans, entendu par des enregistrements, en
dépit de tout cela, il n'avait jamais imaginé que les

127

éclairs étaient aussi aveuglants et s'étiraient en travers du ciel tout entier, que le son était aussi grave et vibrant ni qu'il se répercutait ainsi, que tout était si *soudain*, que la pluie tombait ainsi comme d'une cuvette renversée, inlassablement.

— Je ne peux pas sortir là-dedans, marmonna-t-il d'une voix désespérée.

— Ce ne sera pas la peine, dit gentiment Daneel. Giskard va aller chercher l'aéroglisseur. Il l'amènera juste devant la porte. Vous ne recevrez pas une goutte de pluie.

— Pourquoi ne pas attendre que cela cesse ?

— Ce ne serait pas souhaitable, camarade Elijah. Il va certainement continuer de pleuvoir, au moins un peu, jusqu'après minuit, et si le Président arrive demain matin, comme l'a laissé entendre le Dr Amadiro, il serait infiniment préférable de passer la soirée en consultation avec le Dr Fastolfe.

Baley se força à faire demi-tour et regarda Daneel dans les yeux. Ils lui parurent très soucieux, mais il pensa tristement que ce n'était là que son interprétation personnelle. Les robots n'avaient pas de sentiments, rien que des impulsions positroniques imitant ces sentiments. (Et peut-être les êtres humains n'avaient-ils pas de sentiments non plus, rien que des impulsions nerveuses interprétées comme des sentiments.)

Il s'aperçut vaguement qu'Amadiro n'était plus là.

— Amadiro m'a retardé sciemment, dit-il, en me conduisant à la Personnelle, en me distrayant par son bavardage oiseux, en empêchant Giskard et toi de m'interrompre et de m'avertir de l'orage. Il a même essayé de me persuader de visiter les lieux et de dîner avec lui. Il n'a bronché qu'au bruit de l'orage. C'était ce qu'il attendait.

— On le dirait. Et si l'orage vous retient ici maintenant, ce sera exactement ce qu'il espère.

Baley respira profondément.

— Tu as raison. Je dois partir... vaille que vaille.

A contrecœur, Baley fit un pas vers la porte, ouverte, encadrant encore un paysage gris foncé de pluie battante. Encore un pas... puis un au s'appuyant lourdement sur Daneel.

Giskard attendait patiemment sur le seuil.

Baley s'arrêta et ferma les yeux un momer dit à voix basse, en parlant plus à lui-m Daneel :

— Il faut que j'y aille...

Et il avança encore d'un pas.

61

— Vous sentez-vous bien, monsieu kard.

C'était une question idiote, dictée tion du robot, pensa Baley. Mais a pas pire que les questions pos humains, parfois follement hors de mées par l'étiquette.

— Oui, répondit-il d'une voix vain — d'élever mais qui ne fu rauque.

C'était une réponse inutile à Giskard, tout robot qu'il était, sentait très mal et que sa ré flagrant.

Elle fut cependant accept pour la suite. Il dit :

— Je vais maintenant all je l'amènerai à la porte.

— Est-ce qu'il marchera Giskard ?

— Oui, monsieur. Cet

Le robot partit en ma

contre le torse du robot. Si Daneel avait été humain, il n'aurait pas résisté...

Il avait perdu tout contact avec la réalité car soudain il perçut la voix de Daneel, comme si elle lui parvenait de très loin. Il eut l'impression que Daneel ressentait quelque chose de voisin de la panique.

— Camarade Elijah, vous m'entendez?

La voix de Giskard, tout aussi éloignée, conseilla :

— Nous devons le porter.

— Non! marmonna Baley. Laissez-moi marcher.

Peut-être ne l'entendirent-ils pas. Peut-être n'avait-il pas vraiment parlé, il l'avait simplement cru. Il se sentit soulevé du sol. Son bras gauche pendait, inerte, et il essaya de le lever, de le poser sur des épaules, de se hisser.

Mais son bras gauche continuait de se balancer inutilement et il se débattit en vain.

Il eut vaguement conscience de se déplacer en l'air, il sentit quelque chose de mouillé sur sa figure. Ce n'était pas réellement de l'eau, plutôt de l'humidité. Puis il y eut la pression d'une surface dure contre son flanc gauche, d'une autre plus souple contre son côté droit.

Il était dans l'aéroglisseur, de nouveau coincé entre Giskard et Daneel. Il avait surtout conscience que Giskard était très mouillé.

Un air chaud cascada autour de lui, sur lui. Avec l'obscurité et l'eau ruisselant sur les vitres, elles étaient pratiquement opacifiées et Baley le crut jusqu'à ce que l'opacité réelle se fasse et qu'ils se trouvent dans l'obscurité absolue. Le bruit étouffé des jets d'air, quand l'aéroglisseur s'éleva en se balançant au-dessus de l'herbe, parut couvrir le tonnerre et diminuer son intensité.

— Je regrette l'inconfort de ma surface trempée, monsieur, dit Giskard. Je vais sécher rapidement. Nous allons attendre un moment ici que vous vous remettiez.

Baley respirait plus facilement. Il se sentait délicieusement protégé, enfermé. Rendez-moi ma Ville, pensa-t-il. Supprimez tout l'Univers et laissez les Spatiens le coloniser. La Terre est tout ce qu'il nous faut.

Alors même qu'il pensait cela, il savait que c'était sa folie qui parlait, pas lui.

Il éprouva le besoin d'occuper son esprit.

— Daneel, dit-il.

— Oui, camarade Elijah?

— A propos du Président. Es-tu d'avis qu'Amadiro jugeait correctement la situation, en supposant que le Président mettrait un terme à l'enquête, ou bien qu'il prenait ses désirs pour des réalités?

— Il est possible, camarade Elijah, que le Président interroge le Dr Fastolfe et le Dr Amadiro à ce sujet. Ce serait la procédure normale, pour régler une querelle de cette nature. Il y a de nombreux précédents.

— Mais pourquoi? demanda Baley en soupirant. Si Amadiro est très persuasif, pourquoi le Président ne donnerait-il pas simplement l'ordre d'arrêter l'enquête?

— Le Président, dit Daneel, est dans une situation politique difficile. Il était d'accord, initialement, pour vous permettre de venir à la demande du Dr Fastolfe, et il ne peut pas se déjuger si brusquement, si vite, sous peine de paraître faible et irrésolu, et de fâcher gravement le Dr Fastolfe qui est encore un personnage très influent de la Législature.

— Alors pourquoi n'a-t-il pas simplement rejeté la requête d'Amadiro?

— Le Dr Amadiro a beaucoup d'influence aussi, camarade Elijah, et il en aura probablement de plus en plus. Le Président doit temporiser en écoutant les deux parties et en ayant au moins l'air de délibérer, avant de prendre une décision.

— Fondée sur quoi?

— Sur la validité de l'affaire, sans doute.

— Alors il va falloir que je trouve avant demain matin quelque chose qui persuadera le Président de prendre le parti de Fastolfe, au lieu d'être contre lui. Si j'y arrive, est-ce que ce sera la victoire?

— Le Président n'est pas tout-puissant mais son influence est grande. S'il se déclare ouvertement pour le Dr Fastolfe, alors, dans les conditions politiques actuelles, oui, le Dr Fastolfe obtiendra probablement le soutien de la Législature.

Baley se remettait à penser avec lucidité.

— Cela expliquerait assez bien qu'Amadiro tente de nous retarder. Il a dû se dire que je n'avais rien à présenter au Président et qu'il lui suffisait de gagner du temps, de me retarder et de m'empêcher de trouver rapidement quelque argument décisif.

— On le dirait bien, camarade Elijah.

— Et il ne m'a laissé partir que lorsqu'il pensait pouvoir compter sur l'orage pour continuer de me retenir.

— Peut-être, camarade Elijah.

— Dans ce cas, nous ne pouvons pas permettre à l'orage de nous retarder.

— Où désirez-vous être conduit, monsieur? demanda calmement Giskard.

— Retournons à l'établissement du Dr Fastolfe.

— Pouvons-nous attendre encore un moment, camarade Elijah? Comptez-vous annoncer au Dr Fastolfe que vous ne pouvez pas poursuivre l'enquête?

— Pourquoi demandes-tu ça? s'exclama Baley.

Sa voix forte et rageuse révélait qu'il s'était déjà bien ressaisi.

— Simplement, je crains que vous ayez oublié un instant que le Dr Amadiro vous a pressé de le faire pour le bien de la Terre.

— Je n'ai pas oublié, répliqua sombrement Baley, et je n'aime pas que tu t'imagines qu'il ait pu m'influencer, Daneel. Fastolfe doit être disculpé et la Terre doit envoyer ses pionniers dans la Galaxie. S'il y a en cela un danger de la part des globalistes, ce danger doit être affronté.

— Mais dans ce cas, camarade Elijah, pourquoi retourner chez le Dr Fastolfe? Il me semble qu'il n'y a rien d'important à lui rapporter. N'y a-t-il aucune direction dans laquelle nous pourrions poursuivre nos investigations, *avant* d'aller faire notre rapport au Dr Fastolfe?

Baley se redressa et posa une main sur Giskard, qui était maintenant complètement sec.

— Je suis satisfait des progrès que j'ai déjà faits, dit-il d'une voix tout à fait normale. Partons, Giskard. Conduis-nous à l'établissement de Fastolfe. (Et il ajouta, en serrant les poings et en raidissant son corps :) De plus, Giskard, dégage les vitres. Je veux regarder l'orage en face.

62

Baley retint sa respiration en se préparant à la transparence. L'aéroglisseur ne serait plus hermétiquement clos; il n'aurait plus des parois unies, solides.

Au moment où les vitres se dégageaient, un éclair jaillit qui disparut aussitôt avec pour seul résultat d'assombrir le paysage par contraste.

Baley ne put réprimer un mouvement de recul tout en s'efforçant de s'armer de courage en prévision du coup de tonnerre qui, quelques secondes plus tard, gronda.

— L'orage ne va plus empirer et, bientôt, il se calmera, dit Daneel d'une voix rassurante.

— Je me moque qu'il se calme ou non, répliqua Baley en serrant les dents. Allons, Giskard. Partons.

Il essayait, pour lui-même, de conserver l'illusion d'être un humain commandant à des robots.

L'aéroglisseur s'éleva légèrement et, aussitôt, il fut déporté sur le côté et pencha si fort que Baley fut collé contre Giskard.

— Redresse ce véhicule, Giskard ! cria-t-il ou, plutôt, gémit-il.

Daneel le prit par les épaules et l'attira contre lui. De

l'autre bras, il se retenait à une poignée fixée au châssis de l'aéroglisseur.

— Ce n'est pas possible, camarade Elijah. Le vent est assez violent.

Baley sentit ses cheveux se dresser.

— Tu veux dire... Tu veux dire que le vent va nous emporter ?

— Non, bien sûr que non, répondit Daneel. Si la voiture était anti-grav — une forme de technologie qui, bien entendu, n'existe pas — et si sa masse et son inertie étaient éliminées, alors elle serait emportée comme une plume dans les airs. Cependant, nous conservons toute notre masse, même quand nos jets nous soulèvent sur le coussin d'air, alors notre inertie résiste au vent. Néanmoins, le vent nous fait osciller, même si Giskard garde le contrôle absolu du véhicule.

— Ça n'en a pas l'air, marmonna Baley.

Il perçut un vague sifflement aigu, qu'il pensa être le vent glissant sur l'aéroglisseur alors que le véhicule fendait l'atmosphère turbulente. Puis l'aéroglisseur fit une embardée et Baley ne put absolument pas se retenir de saisir Daneel par le cou et de le serrer désespérément.

Daneel attendit un moment. Quand Baley eut repris haleine, quand son étreinte fut moins crispée, il s'en dégagea sans peine, tout en resserrant son bras autour des épaules de Baley.

— Afin de garder le cap, camarade Elijah, Giskard doit compenser la poussée du vent par une distribution asymétrique des jets d'air. Ils soufflent d'un côté pour que l'aéroglisseur se penche à contre-vent, et la force ainsi que la direction de ces jets doivent être réglées à mesure que le vent change d'intensité et de direction. Pour cela, il n'y a pas plus habile que Giskard, mais, malgré tout, il y a d'inévitables secousses et cahots. Il faudra donc excuser Giskard s'il ne participe pas à notre conversation. Il doit s'occuper uniquement de la conduite.

— Est-ce que c'est... sans danger ?

L'estomac de Baley se contractait à la pensée de jouer avec le vent de cette façon. Il était très heureux de ne pas avoir mangé depuis plusieurs heures. Il ne pouvait pas... il n'oserait pas être malade dans l'espace confiné de l'aéroglisseur. Cette idée même aggrava sa nausée et il tenta de se concentrer sur autre chose.

Il s'imagina en train de courir sur les bretelles mouvantes, sur la Terre, d'en descendre une pour sauter sur la voisine, plus rapide, et puis sur une autre encore plus rapide, de passer sur une plus lente, en se penchant contre le vent dans une direction ou l'autre selon que l'on rapidait (un curieux mot de jargon uniquement employé par les coureurs de bretelles mouvantes) ou que l'on ralentissait. Dans sa jeunesse, Baley faisait cela presque automatiquement, sans la moindre faute ni la moindre hésitation.

Daneel s'y était adapté sans peine et la seule fois où ils avaient fait la course tous les deux, Daneel s'en était tiré à la perfection. Eh bien, se dit Baley, c'était exactement la même chose! L'aéroglisseur courait sur les bretelles. Absolument! C'était pareil!

Pas tout à fait, bien sûr. Dans la Ville, la vitesse de la bretelle était fixe. Le vent soufflait d'une manière absolument prévisible, puisqu'il ne résultait que du mouvement du trottoir roulant. Mais là, sous l'orage, le vent avait une volonté à lui ou, plutôt, il dépendait d'une telle quantité de variables (Baley faisait exprès de rechercher le rationnel) qu'il paraissait n'obéir qu'à son caprice et Giskard devait en tenir compte et compenser cela. C'était tout. Autrement, c'était la même chose que si l'on courait simplement le long des bretelles, avec une petite complication en plus.

— Et si nous sommes jetés contre un arbre? marmonna-t-il.

— Très improbable, camarade Elijah. Giskard est bien trop habile pour ça. Et nous ne sommes que très légèrement au-dessus du sol, si bien que les jets sont particulièrement puissants.

— Alors nous allons heurter une grosse pierre. Elle nous emboutira par en dessous.

— Nous ne heurterons pas de pierre, camarade Elijah.

— Pourquoi? Comment diable Giskard peut-il voir où il va, d'abord? grogna Baley en cherchant à regarder dans l'obscurité devant eux.

— Le soleil se couche à peine, dit Daneel, et un peu de jour filtre entre les nuages. Cela nous suffit pour voir avec l'aide de nos phares. Et s'il fait plus sombre, Giskard intensifiera leur lumière.

— Quels phares? demanda Baley d'un air agressif.

— Vous ne les voyez pas bien parce qu'ils ont une forte teneur en infrarouge, à laquelle les yeux de Giskard sont sensibles mais pas les vôtres. De plus, l'infrarouge est plus pénétrant que la lumière sur ondes plus courtes, et pour cette raison, c'est plus efficace sous la pluie ou dans le brouillard.

Malgré sa peur et son malaise, Baley éprouva de la curiosité.

— Et tes yeux à toi, Daneel?

— Mes yeux, camarade Elijah, sont conçus pour être aussi voisins que possible de ceux des êtres humains. C'est regrettable, peut-être, en ce moment.

L'aéroglisseur frémit et Baley retint de nouveau sa respiration.

— Les yeux des Spatiens sont encore adaptés au soleil de la Terre, même si ceux des robots ne le sont pas, murmura-t-il. C'est une bonne chose, sans doute, si ça peut leur rappeler qu'ils descendent des Terriens...

Sa voix s'étouffa. Il faisait de plus en plus sombre, au-dehors. Il ne voyait plus rien maintenant, et les éclairs intermittents n'éclairaient rien non plus. Ils étaient totalement aveuglants. Baley ferma les yeux mais en vain. Il avait encore plus conscience du tonnerre furieux, menaçant.

Ne devraient-ils pas s'arrêter? Attendre que le plus gros de l'orage soit passé?

Giskard annonça soudain :

— Ce véhicule ne réagit pas normalement.

Baley sentit que le véhicule était fortement secoué, comme s'il était sur roues et passait sur une surface irrégulière.

— Est-ce que l'orage a pu faire des dégâts, Ami Giskard ? demanda Daneel.

— Ce n'est pas l'impression que ça donne, Ami Daneel. Pas plus qu'il ne paraît probable que cet engin puisse souffrir de ce genre de dégâts dans cet orage, ou dans n'importe quel orage.

Baley écoutait sans très bien comprendre.

— Des dégâts ? Quel genre de dégâts ?

— Il me semble qu'il y a une fuite dans le compresseur, monsieur, mais très lente. Ce n'est pas le résultat d'une crevaison ordinaire.

— Comment est-ce arrivé, alors ? demanda Baley.

— Un sabotage, peut-être, pendant que le véhicule était dehors, près du bâtiment administratif. Je me suis aperçu, depuis quelque temps déjà, que nous sommes suivis et que l'on prend soin de ne pas nous dépasser.

— Pourquoi, Giskard ?

— Sans doute, monsieur, parce que l'on attend que nous tombions complètement en panne.

Les mouvements de l'aéroglisseur étaient de plus en plus saccadés.

— Pourrons-nous arriver jusque chez Fastolfe ?

— J'en doute, monsieur.

Baley essaya de fouetter son esprit affolé pour le forcer à réfléchir.

— Dans ce cas, je me suis radicalement trompé sur les raisons qu'avait Amadiro de nous retarder. Il nous gardait simplement là pendant qu'un de ses robots sabotait l'aéroglisseur de telle manière que nous tombions en panne au beau milieu de cette désolation.

— Mais pourquoi ferait-il cela ? s'exclama Daneel, choqué. Pour se saisir de vous ? Mais il vous avait déjà.

— Il ne veut pas de moi. Personne ne veut de moi, répliqua Baley avec une sorte de colère lasse. Le danger est pour toi, Daneel.

— Pour moi, camarade Elijah?

— Oui, *toi*, Daneel!... Giskard, choisis un endroit sûr pour te poser et dès que tu seras arrêté, Daneel doit descendre et courir en lieu sûr.

— C'est impossible, camarade Elijah, protesta Daneel. Je ne peux pas vous abandonner alors que vous vous sentez malade et, plus particulièrement, s'il y a ces gens qui nous poursuivent et risquent de vous faire du mal.

— Daneel, c'est *toi* qu'ils poursuivent! Tu *dois* partir. Quant à moi, je resterai dans l'aéroglisseur. Je ne risque rien.

— Comment puis-je croire cela?

— Je t'en prie! S'il te plaît! Comment puis-je tout expliquer alors que le monde tourbillonne... Daneel, reprit Baley avec un calme désespéré, tu es ici l'individu le plus important, infiniment plus important que Giskard et moi réunis. Toute l'humanité dépend de toi. Ne t'inquiète pas d'un seul homme; pense à des *milliards d'hommes*! Daneel... Je t'en prie...

63

Baley était balancé d'avant en arrière. Il se demanda si l'aéroglisseur se brisait complètement, ou si Giskard en perdait le contrôle. Ou bien tentait-il d'éluder les poursuivants?

Baley s'en moquait. Il s'en *moquait*! Que l'aéroglisseur s'écrase, qu'il éclate en mille morceaux. Il accueillerait la mort avec joie. N'importe quoi pour être débarrassé de cette terrible peur, de cette totale incapacité d'affronter l'Univers.

Mais il devait s'assurer que Daneel s'échappe sain et sauf. Comment?

Tout était irréel et il n'allait rien pouvoir expliquer à

ces robots. Pour lui, la situation était claire, mais comment pourrait-il la faire comprendre à ces non-humains, qui ne connaissaient rien d'autre que leurs Trois Lois, et qui laisseraient la Terre entière et, à la longue, toute l'humanité, périr parce qu'ils ne pouvaient se soucier que d'un seul homme, celui qui était sous leur nez ?

Pourquoi avait-on inventé les robots ?

Et puis, assez curieusement, Giskard, le moins raffiné des deux, vint à son secours. Il dit de sa voix monotone :

— Ami Daneel, je ne vais plus pouvoir maintenir cet aéroglisseur en mouvement bien longtemps. Peut-être serait-il plus souhaitable de faire ce que propose Mr Baley. Il t'a donné un ordre très clair.

Daneel parut perplexe.

— Est-ce que je peux le laisser alors qu'il ne va pas bien, Ami Giskard ?

— Tu ne peux pas l'emmener avec toi sous l'orage, Ami Daneel. De plus, il a l'air très anxieux que tu partes, et tu lui ferais peut-être mal en restant.

Baley se sentit revivre.

— Oui... Oui ! s'écria-t-il d'une voix cassée. Giskard a raison. Giskard, pars avec lui, cache-le, assure-toi qu'il ne reviendra pas... et puis reviens me chercher.

Daneel protesta violemment :

— Cela n'est pas possible, camarade Elijah. Nous ne pouvons pas vous laisser seul, sans soins, sans protection.

— Pas de risque... Je ne risque rien. Fais ce que je dis...

— Ceux qui nous suivent sont probablement des robots, dit Giskard. Des êtres humains hésiteraient à sortir sous l'orage. Et des robots ne feront pas de mal à Mr Baley.

— Ils pourraient l'emmener.

— Pas sous l'orage, Ami Daneel, puisque cela lui ferait évidemment du mal. Je vais maintenant arrêter l'aéroglisseur, Ami Daneel. Tiens-toi prêt à obéir aux ordres de Mr Baley. Moi aussi.

— Bien, souffla Baley. Très bien !

Il était reconnaissant d'avoir là un robot plus simple, donc plus facile à impressionner, qui risquait moins de se perdre dans les incertaines considérations d'un cerveau plus raffiné.

Vaguement, il pensa à Daneel pris entre sa perception du malaise de l'être humain et l'insistance de l'ordre et imagina son cerveau craquant sous le conflit.

Non, non, Daneel, pensa-t-il, fais ce que je dis sans t'interroger.

Mais il manquait de force de volonté pour articuler et l'ordre resta à l'état de pensée.

L'aéroglisseur se posa avec une secousse et un bruit grinçant.

Les portières s'ouvrirent à la volée de chaque côté et se refermèrent dans un léger soupir. Les robots étaient partis. Ayant pris leur décision, ils n'avaient plus hésité et ils avaient agi avec une vitesse qu'aucun être humain ne pouvait égaler.

Baley respira profondément et frissonna. L'aéroglisseur était maintenant parfaitement stable. Il faisait partie du sol.

Baley comprit soudain que la majeure partie de sa détresse avait été causée par le roulis et le tangage du véhicule, la sensation d'insubstantialité, de ne plus être relié à l'Univers, d'être à la merci de forces indifférentes.

Maintenant, enfin, plus rien ne bougeait et il ouvrit les yeux.

Il ne s'était même pas aperçu qu'il les avait fermés.

Il y avait encore des éclairs à l'horizon et le tonnerre grondait sourdement. Le vent, rencontrant une masse plus résistante et bien ancrée, hurlait sur un registre plus aigu qu'auparavant.

Tout était noir. Baley n'avait que des yeux humains ; alors, à part les éclairs intermittents, il ne voyait pas la moindre lueur. Le soleil s'était sûrement couché et les nuages étaient épais et bas.

Et, pour la première fois depuis qu'il avait quitté la Terre, Baley était seul.

64

Seul !

Baley avait été trop malade, trop affolé pour réfléchir raisonnablement. Encore maintenant, il se débattait avec lui-même, cherchant ce qu'il aurait dû faire, ce qu'il aurait fait s'il y avait eu place dans son esprit égaré pour une autre pensée que le départ impératif de Daneel.

Par exemple, il n'avait pas demandé où il se trouvait à présent, près de quoi il était, où Daneel et Giskard comptaient aller. Il ne connaissait absolument rien de cet aéroglisseur, il ne savait pas comment fonctionnaient ses divers éléments. Il ne pouvait pas le déplacer, naturellement, mais il aurait pu lui faire fournir de la chaleur s'il faisait trop froid, arrêter le chauffage s'il avait trop chaud... mais il ne savait pas le faire marcher.

Il ne savait pas non plus comment opacifier les vitres, s'il voulait être bien enfermé, ni comment ouvrir les portes s'il voulait sortir.

La seule chose qui lui restait à faire, à présent, c'était d'attendre que Giskard revienne le chercher. C'était certainement ce que Giskard attendait de lui. L'ordre qu'il lui avait donné était simple : Reviens me chercher.

Il n'avait pas été question que lui, Baley, change de position d'une manière ou d'une autre et l'esprit précis et peu encombré de Giskard interpréterait forcément ce « Reviens » comme une indication que c'était à l'aéroglisseur qu'il devait revenir.

Baley essaya de s'adapter à cette idée. Dans un sens, c'était un soulagement de n'avoir qu'à attendre, de ne pas avoir de décision à prendre pour le moment, parce qu'il ne pouvait en prendre absolument aucune. C'était un soulagement d'être stable et immobile, d'être débarrassé de ces terribles éclairs aveuglants et de ces coups de tonnerre fracassants.

Il se dit même qu'il pourrait se permettre le luxe de dormir.

Mais aussitôt il se redressa... L'oserait-il?

Ils étaient poursuivis. Ils étaient sous observation. L'aéroglisseur, pendant qu'il était garé devant le bâtiment administratif de l'Institut de Robotique, avait été saboté et, sans aucun doute, les saboteurs allaient bientôt être sur lui.

Il les attendait aussi, pas seulement Giskard.

Avait-il lucidement réfléchi à tout cela, au cœur de sa détresse? L'engin avait été saboté devant le bâtiment administratif. Cela pouvait être l'œuvre de n'importe qui mais plus probablement de quelqu'un qui savait qu'il était là... et qui le savait mieux qu'Amadiro?

Amadiro avait voulu les retarder jusqu'à l'orage. C'était évident. Le véhicule devait partir sous l'orage et tomber en panne sous l'orage. Amadiro avait étudié la Terre et sa population, il s'en vantait. Il connaissait donc parfaitement les difficultés que les Terriens avaient avec l'Extérieur en général et, plus particulièrement, face à l'orage.

Il devait savoir que Baley serait réduit à l'impuissance totale.

Mais pourquoi le voulait-il?

Pour le ramener à l'Institut? Il l'avait déjà sous la main. Oui, mais il avait un Baley en possession de toutes ses facultés et accompagné par deux robots parfaitement capables de le défendre physiquement. A présent, ce serait différent!

Si l'aéroglisseur tombait en panne en plein orage, (devait penser Amadiro), Baley serait psychologiquement atteint. Il serait peut-être même inconscient, et certainement incapable de résister s'il était ramené. Et les deux robots de Baley ne s'y opposeraient pas, Baley étant visiblement malade, leur seule réaction serait d'aider les robots d'Amadiro à le sauver.

En fait, les deux robots seraient obligés de venir avec Baley et ils le feraient sans hésiter.

Et si jamais quelqu'un réprouvait cet enlèvement, Amadiro pourrait facilement dire qu'il avait craint pour la sécurité de Baley sous l'orage, qu'il avait tenté en vain de le retenir à l'Institut, qu'il avait envoyé ses robots à sa poursuite pour s'assurer qu'il arrivait à destination sans encombre et que lorsque l'aéroglisseur était tombé en panne sous la pluie, ces robots avaient ramené Baley à l'abri. A moins que les gens se doutent que c'était Amadiro qui avait ordonné le sabotage de l'aéroglisseur (qui le croirait ? comment le prouver ?), la seule réaction possible du grand public serait de féliciter Amadiro de ses sentiments humanitaires... d'autant plus louables mais surprenants qu'ils s'exprimaient à l'égard d'un Terrien.

Et que ferait alors Amadiro de Baley ?

Rien. Il le garderait simplement, bien tranquille et impuissant, pendant quelque temps. Baley n'était pas la proie. C'était le nœud de l'affaire.

Amadiro aurait aussi les deux robots, réduits maintenant à l'impuissance. Leurs instructions les forçaient, de la manière la plus péremptoire, à garder Baley et si Baley était malade et soigné, ils ne feraient qu'obéir aux ordres d'Amadiro si ces ordres étaient donnés clairement et ostensiblement pour le bien de Baley. Et Baley ne serait (peut-être) pas assez lucide pour les protéger avec de nouveaux ordres... certainement pas s'il était gardé en état d'impuissance.

C'était lumineux ! C'était évident ! Amadiro avait eu Baley, Giskard et Daneel, alors qu'il ne pouvait pas les utiliser. Il les avait envoyés sous l'orage, afin de les ramener dans un état utilisable. Surtout Daneel ! Daneel était la clef.

Sans aucun doute, Fastolfe finirait par les chercher,

il les trouverait, bien sûr, et les récupérerait, mais alors il serait trop tard, n'est-ce pas ?

Pourquoi Amadiro voulait-il Daneel ?

Baley, la tête bourdonnante, était sûr de le savoir... mais comment pourrait-il le prouver ?

Il était incapable de réfléchir davantage... Il pensa que s'il pouvait opacifier les vitres, recréer un petit monde bien clos et immobile, il parviendrait peut-être à poursuivre ses réflexions.

Mais il ne savait pas comment opacifier les vitres. Il ne pouvait que rester là et regarder l'orage gronder au-dehors, écouter le crépitement de la pluie, le tonnerre qui s'éloignait, voir les éclairs qui s'estompaient.

Il ferma fortement les yeux. Ses paupières aussi formaient un mur, mais il n'osait pas s'endormir.

La portière s'ouvrit à sa droite. Il entendit son léger bruit de soupir. Il sentit la brise humide, la température baissa, il respira la fraîche senteur de la verdure chassant l'odeur familière d'huile et de plastique qui lui rappelait en quelque sorte la Ville qu'il désespérait de revoir un jour.

Il ouvrit les yeux et ressentit la curieuse sensation d'être dévisagé par une figure de robot, de glisser d'un côté sans réellement bouger. Il avait un petit vertige.

Le robot, une ombre noire dans l'obscurité, paraissait grand. Il avait un air assez intelligent.

— Je vous demande pardon, monsieur. Etiez-vous en compagnie de deux robots ? demanda-t-il.

— Partis, marmonna Baley.

Il s'efforçait d'avoir l'air aussi malade que possible et avait conscience de n'avoir pas besoin de beaucoup jouer la comédie.

Un éclair plus brillant zébra le ciel et filtra à travers ses paupières maintenant entrouvertes.

— Partis ? Partis où, monsieur ? (Et puis, en attendant la réponse, le robot demanda :) Etes-vous malade, monsieur ?

Baley éprouva une petite satisfaction, dans ce recoin de son esprit encore capable de penser. Si le robot n'avait pas eu d'instructions particulières, avant de faire quoi que ce soit, il aurait réagi aux signes évidents de malaise. En s'inquiétant d'abord des robots, il révélait qu'il avait reçu à leur sujet des ordres précis et forts.

Cela concordait bien.

Baley essaya de parler normalement et de donner une impression de force qu'il ne possédait pas.

— Je vais bien. Ne t'inquiète pas pour moi.

Cela ne pouvait absolument pas convaincre le robot ordinaire mais celui-ci avait été si fortement instruit en ce qui concernait Daneel (manifestement) qu'il accepta cette assurance.

— Où sont allés les robots, monsieur ?

— Ils sont retournés à l'Institut de Robotique.

— A l'Institut ? Pourquoi, monsieur ?

— Ils ont été appelés par le Maître roboticien Amadiro, qui leur a ordonné de revenir. Je les attends ici.

— Mais pourquoi n'êtes-vous pas allé avec eux, monsieur ?

— Le Maître roboticien Amadiro ne souhaitait pas que je m'expose à l'orage. Il m'a ordonné d'attendre ici. J'obéis aux ordres du Maître roboticien Amadiro.

Il espérait qu'en insistant sur le titre prestigieux et ronflant, qu'en répétant le mot « ordre », il ferait impression sur le robot et le persuaderait de le laisser là où il était.

D'autre part, s'ils avaient été programmés avec un soin particulier pour ramener Daneel, et s'ils étaient convaincus que Daneel était déjà en route vers l'Institut, leur intérêt pour ce robot déclinerait. Ils auraient alors le temps de repenser à lui, Baley. Ils diraient...

— Mais, dit le robot, il semble que vous n'alliez pas bien, monsieur.

Baley éprouva une nouvelle satisfaction.

— Mais si, je vais bien, affirma-t-il.

Derrière le robot, il en distinguait vaguement plusieurs autres — il ne pouvait les compter — dont la figure brillait à chaque éclair. Ses yeux s'étant un peu accoutumés à l'obscurité, il vit luire ceux des robots.

Il tourna la tête. Il y avait aussi des robots à la portière de gauche, qui restait cependant fermée.

Combien Amadiro en avait-il envoyés ? Et devait-on les ramener tous les trois par la force, s'il le fallait ?

— Les ordres du Maître roboticien Amadiro étaient que mes robots devaient retourner à l'Institut et que je devais attendre. Si vous avez tous été envoyés pour leur porter secours et si vous disposez d'un véhicule, trouvez les robots, qui sont en chemin pour retourner làbas, et transportez-les. Cet aéroglisseur ne fonctionne plus.

Il essaya de dire tout cela sans hésitation, avec fermeté, comme le ferait un homme bien portant. Il n'y parvint pas tout à fait.

— Ils sont repartis à pied, monsieur ?

— Trouvez-les. Vos ordres sont clairs, répliqua Baley.

Il y eut de l'hésitation. Une nette hésitation.

Baley finit par penser à déplacer son pied droit, correctement, espérait-il. Il aurait dû le faire plus tôt mais son corps physique n'obéissait pas très bien à sa pensée.

Les robots hésitaient toujours, et Baley s'en inquiéta. Il n'était pas spatien. Il ne connaissait pas les mots qui convenaient, le ton et l'expression qui s'imposaient pour diriger efficacement des robots. Un roboticien expert savait, d'un geste, d'un regard, commander un robot, comme si c'était une marionnette dont il tenait les fils. Surtout si le robot était sa propre création.

Mais Baley n'était qu'un Terrien.

Il fronça les sourcils — ce qui était facile dans sa détresse — et chuchota un faible « Allez », en accompagnant l'ordre d'un geste des deux mains.

Cela ajouta peut-être un peu de poids à son ordre, juste ce qu'il fallait; ou peut-être une limite avait-elle simplement été atteinte, dans le temps que mettaient les circuits positroniques des robots à déterminer, par voltage et contre-voltage, comment classer leurs instructions en conformité avec les Trois Lois.

Quoi qu'il en soit, ils avaient pris leur décision et, ensuite, il n'y eut plus d'hésitation. Ils retournèrent à leur véhicule, avec une telle rapidité qu'ils parurent tout bonnement disparaître.

La portière que le robot avait ouverte se referma d'elle-même. Baley avait bougé son pied de manière à le glisser dans l'ouverture. Il se demanda vaguement si son pied n'allait pas être sectionné ou écrasé, mais il ne le retira pas. Il était certain qu'aucun véhicule n'était conçu pour rendre possible une telle mésaventure.

Il se retrouvait seul. Il avait forcé des robots à abandonner un être humain manifestement malade en profitant de la force des ordres donnés par un Maître roboticien, qui avait tenu à renforcer la Deuxième Loi à ses propres fins et l'avait fait au point que les mensonges tout à fait apparents de Baley y avaient subordonné la Première.

Baley se flatta d'avoir réussi et s'aperçut que la portière restait entrouverte, bloquée par son pied, et que ce pied n'en avait aucunement souffert.

65

Baley sentait l'air frais sur son pied, ainsi qu'un filet d'eau. C'était effrayant, anormal, mais il ne pouvait laisser la portière se refermer car alors il ne saurait plus la rouvrir. Comment les robots faisaient-ils ? Bien sûr, ce ne devait pas être une énigme pour les gens de cette civilisation mais, en lisant les ouvrages sur la vie auroraine, il n'avait trouvé aucune instruction détaillée sur la manière précise d'ouvrir les portières d'un aéroglisseur de modèle standard. Toutes les choses importantes étaient jugées de notoriété publique. On était censé *savoir*, même si, en principe, ces ouvrages étaient faits pour informer.

En pensant à cela, Baley tâtonnait dans ses poches, et même les poches n'étaient pas faciles à trouver. Elles n'étaient pas aux endroits habituels et il y avait un système qu'il fallait découvrir tant bien que mal, jusqu'à ce que l'on trouve le geste précis qui provoquerait l'ouverture. Il y parvint, prit un mouchoir, le roula en boule et le plaça dans l'entrebâillement de la portière pour l'empêcher de se fermer. Il put alors retirer son pied.

Maintenant, il fallait réfléchir... s'il en était capable. Il ne servait à rien de garder la portière ouverte à moins qu'il ait l'intention de sortir. Mais avait-il intérêt à sortir?

S'il attendait là, Giskard reviendrait le chercher tôt ou tard et, fort probablement, le conduirait en lieu sûr.

Prendrait-il le risque d'attendre?

Il ne savait pas combien de temps mettrait Giskard pour emmener Daneel à l'abri et revenir.

Mais il ne savait pas non plus combien de temps il faudrait aux robots qui les poursuivaient pour comprendre qu'ils ne trouveraient pas Daneel et Giskard sur la route de l'Institut. (Il était impossible que Giskard et Daneel aient pris cette direction, en cherchant un abri sûr. Baley ne leur avait pas ordonné de ne pas retourner à l'Institut... Et si c'était le seul chemin praticable? Mais non! Impossible!)

Il secoua la tête comme pour nier cette éventualité et cela lui causa une vive douleur. Il porta les mains à ses tempes et serra les dents.

Pendant combien de temps les robots allaient-ils poursuivre leurs recherches, avant de comprendre qu'il les avait trompés, ou avait été trompé lui-même? Reviendraient-ils s'emparer de lui, très poliment et en prenant bien soin de ne pas lui faire de mal? Pourrait-il les en détourner en leur disant qu'il mourrait s'il était exposé à l'orage?

Le croiraient-ils? Se mettraient-ils en communication avec l'Institut pour rapporter cela? Oui, très certainement. Et est-ce que des êtres humains arriveraient alors? Ceux-là n'auraient pas tant de souci de son bien-être!

Baley se dit que s'il quittait la voiture et trouvait une cachette parmi les arbres environnants, les robots auraient beaucoup plus de mal à le trouver, et cela lui ferait gagner du temps.

Mais Giskard aussi aurait plus de mal à le retrouver. D'un autre côté, Giskard avait des instructions bien plus formelles pour le protéger que les robots pour le découvrir. La principale mission du premier était de trouver Baley, celle des seconds de mettre la main sur Daneel.

D'ailleurs, Giskard était programmé par Fastolfe en personne et Amadiro, bien que habile, n'arrivait pas à la cheville de Fastolfe.

Dans ce cas, et toutes choses égales d'ailleurs, Giskard arriverait auprès de lui bien avant les autres robots.

Mais les choses seraient-elles égales par ailleurs? Avec un brin de scepticisme railleur, Baley se dit : Je suis épuisé et je suis incapable de réfléchir réellement; je me raccroche simplement à n'importe quoi pour tenter de me rassurer.

Malgré tout, que pouvait-il faire d'autre que soupeser ses chances, telles qu'il les concevait?

Il poussa la portière et sortit. Le mouchoir tomba sur l'herbe mouillée et il se baissa machinalement pour le ramasser. Puis, en le serrant dans sa main, il s'éloigna en chancelant du véhicule.

Il fut suffoqué par les rafales de pluie qui giflaient sa figure et ses mains. Au bout d'un petit moment, ses vêtements mouillés se collèrent sur son corps et il grelotta.

Une lumière aveuglante déchira le ciel, trop rapide pour qu'il ait le temps de fermer les yeux et puis un monstrueux fracas le fit sursauter de terreur et plaquer ses mains sur ses oreilles.

L'orage revenait-il? Ou bien le bruit paraissait-il plus fort maintenant qu'il était à découvert?

Il devait avancer. Il lui fallait s'éloigner de l'aéroglisseur pour que ses poursuivants ne le retrouvent pas trop facilement. Il ne devait pas hésiter ni rester dans ce voisinage, sinon autant demeurer dans la voiture... et au sec.

Il voulut s'essuyer la figure avec le mouchoir mais il était tout aussi trempé. Il le jeta, il ne lui servait à rien.

Baley se remit en marche, les bras tendus devant lui. Y avait-il une lune, tournant autour d'Aurora? Il lui semblait se souvenir qu'il n'en avait été question dans aucun livre. Sa clarté aurait été la bienvenue... Mais quelle importance? Même s'il y avait en ce moment une pleine lune dans le ciel, les nuages la cacheraient.

Il sentit quelque chose contre ses mains. Il ne voyait pas ce que c'était mais cela évoquait de l'écorce rugueuse. Un arbre, indiscutablement. Même un homme de la Ville pouvait le deviner.

Il se rappela alors que la foudre pouvait tomber sur les arbres et tuer des gens. Il ne se souvenait pas d'avoir lu une description de ce qui arrivait quand on était frappé par la foudre, ni même s'il existait des moyens pour s'en protéger. Il savait en tout cas que jamais personne, sur la Terre, n'avait été frappé par la foudre.

Avec ses mains glacées, mouillées, il avança à tâtons sous les arbres, tremblant de peur. Il craignait de s'égarer, de tourner en rond, de ne pas conserver la même direction.

En avant!

Les fourrés devenaient plus denses, et il devait passer au travers. Il avait l'impression que de petits doigts osseux le griffaient, le retenaient. Rageusement, il tira son bras et entendit un bruit de déchirure.

En avant!

Il claquait des dents et tremblait de plus belle.

Encore un éclair. Pas trop effrayant. Pendant un bref instant, il aperçut ce qui l'entourait.

Des arbres! Des arbres nombreux. Il était dans un bois. En cas de foudre, de nombreux arbres étaient-ils plus dangereux qu'un seul?

Il n'en savait rien.

Serait-il plus en sécurité s'il ne touchait pas vraiment un arbre?

Il n'en savait rien non plus. La mort par la foudre n'était pas un élément de la vie dans les Villes et les romans historiques (ou les livres d'histoire) qui en parlaient ne donnaient aucun détail.

Il leva les yeux vers le ciel noir et sentit l'humidité descendre. Il essuya ses yeux mouillés avec ses mains mouillées.

Et il repartit, en essayant de bien lever les pieds. A un moment donné, il pataugea dans un petit ruisseau étroit, glissant sur les cailloux du fond.

Comme c'était bizarre! Cela ne le mouilla pas plus qu'il ne l'était.

Il repartit. Les robots ne le retrouveraient pas. Et Giskard?

Baley ne savait pas où il était, ni où il allait ni à quelle distance il était de tout.

S'il voulait retourner à l'aéroglisseur, il en serait incapable.

S'il tentait de s'orienter, il ne le pourrait pas.

Et l'orage allait durer éternellement et finalement il se dissoudrait et fondrait lui-même en un ruisselet et personne ne le retrouverait jamais.

Ses molécules dissoutes couleraient vers l'océan.

Y avait-il un océan sur Aurora?

Oui, naturellement! Il était plus grand que ceux de la Terre mais il y avait plus de glace aux pôles aurorains.

Ah, il flotterait jusqu'aux glaces et y gèlerait, et brillerait sous le froid soleil orangé.

Ses mains touchaient de nouveau un arbre — des mains mouillées — des arbres mouillés — un grondement de tonnerre — curieux, il ne voyait pas l'éclair — or l'éclair venait d'abord — était-il touché?

Il ne sentait rien... à part le sol.

Le sol était sous lui parce que ses doigts grattaient la boue froide, mouillée. Il tourna la tête pour mieux respirer. C'était assez confortable. Il n'avait plus besoin de marcher. Giskard le trouverait.

Il en fut soudain tout à fait sûr. Giskard le trouverait parce que...

Non, il avait oublié le « parce que ». C'était la seconde fois qu'il oubliait quelque chose. Avant de s'endormir... était-ce la même chose qu'il oubliait à chaque fois ?... La même chose ?...

Cela n'avait pas d'importance.

Il irait très bien... très...

Et il resta couché là, seul et inconscient, sous la pluie, au pied d'un arbre, tandis que l'orage continuait de se déchaîner autour de lui.

XVI

Gladia

66

Plus tard, avec le recul, Baley estima qu'il n'était pas resté sans connaissance moins de dix minutes et pas plus de vingt.

Sur le moment, cependant, cela lui parut éternel. Puis il perçut une voix. Il n'entendait pas les mots, rien qu'une voix qui lui sembla bizarre. Dans sa perplexité, il résolut le mystère à sa satisfaction en reconnaissant une voix féminine.

Il y avait des bras autour de lui, qui le soulevaient, le portaient. Un bras — le sien — pendait. Sa tête ballottait. Il essaya faiblement de se redresser mais n'en fut pas capable. De nouveau, la voix féminine.

Avec lassitude, il ouvrit les yeux. Il avait froid, il était trempé. Soudain, il s'aperçut que l'eau ne le frappait plus et qu'il ne faisait pas noir, pas complètement. Il y avait une lumière diffuse qui lui permettait de voir une figure de robot.

Il la reconnut.

— Giskard, souffla-t-il et, aussitôt, il se rappela l'orage et sa fuite.

Giskard l'avait trouvé le premier; il l'avait retrouvé avant les autres robots.

Baley, soulagé, pensa : J'en étais sûr.

Il referma les yeux et sentit qu'il se déplaçait rapidement avec une légère mais très perceptible irrégularité, indiquant qu'il était porté par quelqu'un qui marchait. Puis un arrêt et une lente adaptation, jusqu'à ce qu'il repose sur quelque chose de tiède et de confortable. Il comprit que c'était le siège arrière d'un véhicule, apparemment recouvert de tissu éponge.

Il y eut ensuite la sensation de mouvement dans l'air et d'un tissu doux et absorbant sur sa figure et ses mains. On ouvrit le devant de sa tunique, il sentit de l'air frais sur son torse et, de nouveau, le contact de la serviette.

Après cela, les sensations se précipitèrent.

Il était dans un établissement. Il y avait le scintillement des murs, de l'éclairage, des objets divers (des meubles) qu'il voyait de temps en temps quand il ouvrait les yeux.

Il sentit qu'on le déshabillait méthodiquement et il fit quelques tentatives inutiles pour aider; puis de l'eau chaude, tiède, et des frictions vigoureuses. Cela dura longtemps; il aurait voulu que ça ne s'arrête jamais.

Une pensée lui vint, à un moment donné, et il saisit le bras qui le soutenait.

— Giskard ! Giskard !

Il entendit la voix de Giskard.

— Je suis là, monsieur.

— Giskard, est-ce que Daneel est en sécurité ?

— Tout à fait, monsieur.

— Bien.

Baley referma les yeux et ne fit plus aucun effort. Il se laissa essuyer. Il fut tourné et retourné dans un flot d'air chaud et puis rhabillé d'un vêtement ressemblant à une robe de chambre douillette.

Le luxe ! Rien de semblable ne lui était arrivé depuis qu'il était bébé et il plaignit soudain les petits enfants pour qui on faisait tout cela et qui n'en avaient pas suffisamment conscience pour l'apprécier.

Mais était-ce bien vrai? Le souvenir caché de ce luxe réservé aux bébés déterminait-il le comportement adulte? Son propre sentiment actuel n'était-il pas l'expression du ravissement d'être redevenu un bébé?

Et il avait entendu une voix de femme. Sa mère?

Non, ce n'était pas possible.

Il était maintenant assis dans un fauteuil, il le sentait. Et il sentait aussi, en quelque sorte, que la brève période heureuse d'enfance retrouvée allait finir. Il devait retomber dans le triste monde de la conscience et de la responsabilité de soi-même.

Mais il y avait eu une voix féminine... Quelle femme? Baley rouvrit les yeux.

— Gladia?

67

C'était une question, une question étonnée mais, tout au fond, il n'était pas vraiment surpris. En y réfléchissant, il se rendait compte qu'il avait reconnu la voix, naturellement.

Il regarda autour de lui. Giskard était debout dans sa niche mais il se désintéressa de lui. D'abord l'essentiel.

— Où est Daneel? demanda-t-il.

— Il s'est nettoyé et séché dans les appartements des robots, répondit Gladia, et il a des vêtements secs. Il est entouré par mon personnel qui a des instructions. Je peux vous assurer qu'aucun intrus ne pourra s'approcher à moins de cinquante mètres de mon établissement, de n'importe quelle direction, sans que nous le sachions tous immédiatement... Giskard s'est nettoyé et séché aussi.

— Oui, je le vois bien, murmura Baley.

Il ne s'inquiétait pas de Giskard, uniquement de Daneel. Il était heureux que Gladia semble comprendre la nécessité de protéger Daneel et de ne pas avoir à affronter les complications de longues explications.

Cependant, il y avait une faille dans le mur de sécurité et ce fut avec anxiété qu'il demanda :

— Pourquoi l'avez-vous laissé, Gladia ? Vous partie, il n'y a aucun être humain dans la maison pour interdire l'approche d'une bande de robots de l'Extérieur. Daneel aurait pu être enlevé par la force.

— Ridicule ! s'exclama Gladia. Nous n'avons pas été absents longtemps et le Dr Fastolfe était prévenu. Beaucoup de ses robots sont venus pour prêter main-forte aux miens et le docteur pouvait être là en quelques minutes, en cas de besoin. Et je serais curieuse de voir une bande de robots de l'Extérieur qui lui résisteraient !

— Avez-vous vu Daneel depuis votre retour, Gladia ?

— Naturellement ! Il est sain et sauf, je vous dis.

— Merci...

Baley se détendit et ferma les yeux. Assez curieusement, il pensa : Ce n'était pas si grave.

Bien sûr, ça ne l'était pas. Il avait survécu, n'est-ce pas ? En pensant à cela il sourit, heureux et satisfait.

Il avait survécu !

Rouvrant les yeux, il demanda :

— Comment m'avez-vous trouvé, Gladia ?

— C'est Giskard. Ils sont venus ici, tous les deux, et Giskard m'a rapidement expliqué la situation. Je me suis immédiatement occupée de mettre Daneel en sécurité mais il a refusé de bouger avant que je promette d'ordonner à Giskard de partir vous chercher. Il était très éloquent. Ses sentiments à votre égard sont très intenses, Elijah.

» Daneel est resté ici, bien entendu. Il en était très malheureux mais Giskard a insisté pour que je lui ordonne de rester, de ma voix la plus forte. Vous avez dû donner à Giskard des ordres très stricts. Ensuite, nous avons prévenu le Dr Fastolfe et nous sommes partis dans mon aéroglisseur personnel.

Baley secoua légèrement la tête.

— Vous n'auriez pas dû venir, Gladia. Votre place était ici, vous deviez veiller sur la sécurité de Daneel.

Gladia fit une grimace de mépris.

— Et vous laisser mourir sous l'orage ? Ou enlever par les ennemis du Dr Fastolfe ? Non, Elijah, je pouvais être nécessaire, pour éloigner de vous les autres robots, s'ils vous avaient trouvé les premiers. Je ne suis peut-être pas bonne à grand-chose en général, mais tous les Solariens savent commander une bande de robots, permettez-moi de vous le dire. Nous y sommes habitués.

— Mais comment m'avez-vous trouvé ?

— Ce n'était pas tellement difficile. Votre aéroglisseur était tout près d'ici, finalement, et nous aurions pu y aller à pied, sans l'orage. Nous...

— Vous voulez dire que nous étions presque arrivés chez Fastolfe ?

— Oui. Votre aéroglisseur n'a pas été suffisamment saboté pour vous faire tomber en panne plus tôt, ou alors l'habileté de Giskard a réussi à le faire marcher plus longtemps que ne le prévoyaient les vandales. Ce qui est une bonne chose. Si vous étiez tombés en panne plus près de l'Institut, ils auraient pu vous enlever tous les trois. Bref, nous avons pris mon aéroglisseur pour aller jusqu'au vôtre. Giskard savait où il était, naturellement, et nous sommes descendus...

— Et vous vous êtes fait mouiller, n'est-ce pas, Gladia ?

— Pas du tout ! répliqua-t-elle avec vivacité. J'avais un grand contre-pluie et une sphère lumineuse. J'ai eu les souliers crottés de boue et les pieds un peu humides, parce que je n'avais pas pris le temps d'y vaporiser du latex, mais ce n'était pas grave... Nous sommes donc arrivés à votre aéroglisseur moins d'une demi-heure après le départ de Giskard et de Daneel et, bien entendu, vous n'y étiez pas.

— J'ai essayé...

— Oui, nous savons. J'ai pensé qu'ils — les autres — vous avaient enlevé parce que Giskard m'a dit que vous étiez suivis. Mais Giskard a trouvé votre mouchoir à une cinquantaine de mètres de l'aéroglisseur et il m'a dit que vous aviez dû partir dans cette direction. Il a dit que c'était illogique mais que les êtres humains sont souvent illogiques, et que nous devions vous chercher. Nous avons donc cherché tous les deux et c'est lui qui vous a découvert. Il dit qu'il a aperçu la lueur infrarouge de votre chaleur corporelle, au pied des arbres, et nous vous avons ramené.

— Pourquoi mon départ était-il illogique ? demanda Baley avec une pointe d'agacement.

— Il ne l'a pas expliqué, Elijah. Voulez-vous le lui demander ? proposa-t-elle en désignant la niche.

— Giskard, dit Baley, qu'est-ce que ça veut dire ?

Giskard perdit aussitôt son impassibilité et ses yeux se fixèrent sur Baley.

— Je pensais que vous vous étiez inutilement exposé à l'orage, répondit-il. Si vous aviez attendu, nous vous aurions ramené ici plus tôt.

— Les autres robots auraient pu m'atteindre.

— Ils l'ont fait mais vous les avez renvoyés, monsieur.

— Comment le sais-tu ?

— Il y avait beaucoup d'empreintes, près des portières de chaque côté, monsieur, mais aucune trace d'humidité à l'intérieur de l'aéroglisseur, comme il y en aurait eu si un bras mouillé y avait pénétré pour vous en extraire. J'ai jugé que vous ne seriez pas sorti de l'aéroglisseur de votre plein gré afin de les suivre, monsieur. Et, les ayant renvoyés, vous n'aviez pas à craindre qu'ils reviennent rapidement, puisque c'était Daneel qu'ils voulaient, selon votre propre estimation de la situation. De plus, vous pouviez être certain que moi, je reviendrais rapidement.

— Je n'étais pas en état de distiller ces raffinements de logique, marmonna Baley. J'ai fait ce qui m'a paru le mieux et malgré tout, tu m'as bien retrouvé.

— Oui, monsieur.

— Mais pourquoi m'amener ici ? Si nous étions si

près de l'établissement de Gladia, nous étions aussi près, et peut-être plus, de celui du Dr Fastolfe.

— Pas tout à fait, monsieur. Cette résidence était un peu plus près et j'ai jugé, d'après la force de vos ordres, que chaque seconde comptait pour assurer la sécurité de Daneel. Daneel était d'accord, bien qu'il lui répugnât beaucoup de vous quitter. Une fois qu'il a été ici, j'ai pensé que vous voudriez l'être aussi, afin de vous assurer par vous-même, si vous le désiriez, de sa sécurité.

Baley approuva, mais toujours d'un air maussade (il était encore irrité par la réflexion de Giskard sur son manque de logique).

— Tu as bien agi, Giskard.

— Est-il important que vous parliez au Dr Fastolfe, Elijah ? demanda Gladia. Je peux le faire venir ici. Ou bien vous pouvez le voir par le circuit fermé.

Baley se laissa retomber contre le dossier du fauteuil. Il avait eu tout le temps de constater que ses processus de pensée fonctionnaient mal et qu'il était très fatigué. Cela ne servirait à rien d'affronter Fastolfe en ce moment.

— Non. Je le verrai demain après le petit déjeuner. Ce sera bien assez tôt. Et puis je crois que je dois revoir cet homme, Kelden Amadiro, le directeur de l'Institut de Robotique. Et une haute personnalité, celui que vous appelez le Président. Il sera là aussi, je suppose.

— Vous me semblez épuisé, Elijah, dit Gladia. Naturellement, nous n'avons pas ces micro-organismes — ces microbes et ces virus — que vous avez sur la Terre, et vous avez été entièrement nettoyé, ce qui fait que vous n'attraperez aucune de ces maladies si communes sur votre planète, mais vous êtes vraiment très fatigué.

Baley pensa : Quoi ? Après tout cela, pas de rhume ? Pas de grippe ? Pas de pneumonie ?... Les mondes spatiens avaient quand même du bon.

— Je l'avoue, dit-il, mais un peu de repos y remédiera.

— Avez-vous faim ? C'est l'heure du dîner.

Baley fit une grimace.

— Je n'ai pas du tout envie de manger.

— Je crois que vous avez tort. Vous ne voulez pas d'un repas lourd, sans doute, mais que diriez-vous d'un peu de potage ? Ça vous ferait du bien.

Baley eut envie de sourire. Gladia était peut-être solarienne mais dans des circonstances données, elle se conduisait exactement comme une Terrienne. Il se doutait que ce devait être vrai aussi des Auroraines. Il y avait des choses que les différences de civilisation n'effaçaient pas.

— En avez-vous ? Du potage. Je ne voudrais déranger personne.

— Qui dérangeriez-vous ? J'ai un personnel. Pas aussi nombreux qu'à Solaria mais suffisant pour préparer un repas en quelques minutes. Restez là, reposez-vous et dites-moi quel genre de potage vous aimez. On vous en fera.

Baley ne put résister.

— De la soupe au poulet ?

— Certainement, dit-elle. (Puis, innocemment :) C'est exactement ce que j'aurais suggéré, avec de jolis morceaux de poulet pour que ce soit plus nourrissant.

Baley fut servi avec une rapidité surprenante.

— Vous ne mangez pas, Gladia ? demanda-t-il.

— J'ai déjà dîné, pendant qu'on vous soignait et vous baignait.

— On me soignait ?

— Simple adaptation biochimique de routine, Elijah. Vous avez été plutôt psycho-atteint et nous ne voulions pas qu'il y ait de répercussions... Mais mangez donc !

Il porta une cuillerée à sa bouche. Ce n'était pas un mauvais potage au poulet, mais comme toute la cuisine auroraine, il avait tendance à être un peu trop épicé à son goût. Ou peut-être, plus simplement, on employait des épices différentes de celles auxquelles il était habitué.

Il se rappela soudain sa mère, un souvenir vivace où

162

elle paraissait plus jeune qu'il ne l'était lui-même maintenant. Il la revoyait debout à côté de lui, tandis qu'il rechignait à manger sa « bonne soupe ».

Elle lui disait : « Voyons, mange, Lija. C'est du vrai poulet, c'est très cher. Même les Spatiens n'ont rien de meilleur. »

C'était vrai. Il lui cria par la pensée, à travers les années : Ils n'ont rien de meilleur, maman !

Vraiment ! S'il pouvait se fier à sa mémoire, même en tenant compte du manque de discernement des papilles enfantines, la soupe au poulet de sa mère, quand elle n'était pas affadie par la répétition, était infiniment supérieure.

Il goûta encore une cuillerée, en prit une autre et, quand il eut fini, il marmonna avec un peu de confusion :

— Est-ce qu'il y en aurait encore un peu ?

— Tant que vous voudrez, Elijah.

— Rien qu'un peu.

Et quand il eut fini la seconde assiettée, Gladia dit :

— Elijah, à propos de cette réunion de demain...

— Oui ?

— Est-ce que ça signifie que votre enquête est terminée ? Est-ce que vous savez ce qui est arrivé à Jander ?

Baley répondit judicieusement :

— Je n'ai pas la moindre idée de ce qui a pu arriver à Jander. Je ne pense pas que je puisse persuader quelqu'un que j'ai raison.

— Alors pourquoi cette conférence ?

— Ce n'est pas moi qui l'ai voulue, Gladia. C'est une idée du Maître roboticien Amadiro. Il s'oppose à l'enquête, il va essayer de me faire renvoyer sur Terre.

— C'est lui qui a saboté votre aéroglisseur et qui a envoyé ses robots enlever Daneel ?

— Je le crois.

— Eh bien, ne peut-il être jugé, condamné et puni pour ça ?

— Il le pourrait certainement, sans le tout petit problème du manque total de preuves !

— Et peut-il faire tout cela, s'en tirer impunément, et mettre fin aussi à l'enquête ?

— J'ai bien peur qu'il n'ait une bonne chance d'y parvenir. Comme il le dit lui-même, les gens qui n'espèrent pas de justice n'ont pas à souffrir de déceptions.

— Mais il ne faut pas ! Vous ne devez pas le laisser faire, vous devez terminer votre enquête et découvrir la vérité !

Baley soupira.

— Et si je ne peux pas la découvrir ? Ou si je peux, et que je n'arrive pas à me faire écouter ?

— Vous *pouvez* découvrir la vérité ! Et vous *pouvez* vous faire écouter.

— Vous avez en moi une confiance touchante, Gladia. Malgré tout, si la Législature auroraine veut me renvoyer et ordonner l'abandon de l'enquête, je ne pourrai absolument rien y faire.

— Vous n'allez sûrement pas accepter de repartir sans avoir rien accompli !

— Non, bien sûr. C'est encore pire que de ne simplement rien accomplir. Je retournerai là-bas avec ma carrière brisée et l'avenir de la Terre détruit.

— Alors ne les laissez pas faire ça, Elijah.

— Par Josaphat, Gladia ! Je vais essayer, mais je ne peux pas soulever toute une planète avec mes mains nues. Vous ne pouvez pas exiger de moi des miracles.

Gladia hocha la tête et, les yeux baissés, elle porta un poing à sa bouche et resta immobile, comme plongée dans ses réflexions. Baley mit un moment à s'apercevoir qu'elle pleurait sans bruit.

68

Baley se leva vivement et contourna la table pour aller vers Gladia. Il remarqua distraitement, et avec irritation, que ses jambes tremblaient et qu'il avait un tic dans la cuisse droite.

— Gladia, implora-t-il, ne pleurez pas !

— Ne vous inquiétez pas pour moi, murmura-t-elle. Ça va passer.

Il resta les bras ballants, ne sachant que faire, hésitant à lui mettre une main sur l'épaule.

— Je ne vous touche pas, dit-il. Je crois que j'aurais tort, mais...

— Oh, touchez-moi. Touchez-moi. Je n'aime pas tellement mon corps et vous n'allez pas me contaminer. Je ne suis pas... ce que j'étais.

Alors Baley leva une main et lui caressa légèrement, maladroitement, le bras du bout des doigts.

— Je ferai ce que je pourrai demain, Gladia. Je ferai tout mon possible.

Elle se leva et se tourna vers lui :

— Elijah...

Sachant à peine ce qu'il faisait, Baley la prit dans ses bras. Et, tout aussi spontanément, elle s'y blottit, et il la serra contre lui en tenant sa tête au creux de son épaule.

Il la serrait aussi légèrement qu'il le pouvait, attendant qu'elle se rende compte qu'elle était enlacée par un Terrien. (Elle avait bien embrassé un robot humaniforme, mais il n'était pas un Terrien.)

Elle renifla bruyamment et parla, la bouche contre la chemise de Baley.

— Ce n'est pas juste ! C'est parce que je suis solarienne. Personne ne se soucie de ce qui est arrivé à Jander, alors que ce serait une autre affaire si j'étais auroraine. Tout se résume à des préjugés et à des considérations politiques.

Baley pensa : Les Spatiens sont des êtres *humains*. C'était exactement ce que Jessie dirait, dans un cas semblable. Et si c'était Gremionis qui tenait Gladia dans ses bras, il dirait la même chose que moi... si je savais ce que je dirais.

— Ce n'est pas tout à fait vrai, répondit-il. Je suis sûr que le Dr Fastolfe se soucie de ce qui est arrivé à Jander.

— Non, pas du tout. Pas vraiment. Il veut simplement imposer sa volonté à la Législature et cet Amadiro veut imposer la sienne, et l'un comme l'autre échangerait volontiers Jander contre la réalisation de son ambition.

— Je vous promets, Gladia, que je n'échangerai Jander contre rien.

— Non ? S'ils vous disent que vous pouvez retourner sur la Terre en sauvant votre carrière, sans que votre monde ait à souffrir, à condition que vous ne pensiez plus à Jander, que ferez-vous ?

— Il est inutile d'imaginer des situations hypothétiques qui ne peuvent absolument pas exister. Ils ne vont rien me donner en échange de l'abandon de Jander. Ils vont simplement essayer de me renvoyer sans rien d'autre que la ruine pour moi et pour ma planète. Mais s'ils me laissaient faire, je retrouverais l'homme qui a détruit Jander, et je veillerais à ce qu'il soit puni comme il le mérite.

— Que voulez-vous dire, s'ils vous laissent faire ? Contraignez-les à vous laisser faire !

Baley sourit amèrement.

— Si vous pensez que les Aurorains ne se soucient pas de vous parce que vous êtes solarienne, imaginez le peu d'attention que l'on vous accorderait si vous veniez de la Terre, comme moi.

Il la serra plus fort, oubliant qu'il était de la Terre alors même qu'il le disait.

— Mais j'essaierai, Gladia. Il ne sert à rien de vous

donner de l'espoir, mais je n'ai pas les mains complètement vides. J'essaierai...

Il laissa sa phrase en suspens.

— Vous répétez que vous essaierez... mais *comment* ?

Elle le repoussa légèrement, pour le regarder en face.

Baley fut décontenancé.

— Eh bien, il se peut que je...

— Que vous trouviez l'assassin ?

— Oui, ou bien... Gladia, je vous en prie, je dois m'asseoir.

Il se rapprocha de la table et s'y appuya.

— Elijah, qu'avez-vous ?

— J'ai eu une journée assez difficile, et je n'ai pas encore bien récupéré, je pense.

— Vous feriez mieux d'être au lit, dans ce cas.

— Pour tout vous avouer, Gladia, je ne demande pas mieux.

Gladia le libéra, la mine inquiète, oubliant ses larmes. Elle leva un bras et fit un geste rapide des doigts et aussitôt (sembla-t-il) Baley fut entouré de robots.

Quand il se retrouva dans un lit, quand le dernier robot l'eut quitté, il resta les yeux ouverts dans le noir.

Il ne savait pas s'il pleuvait encore dehors, ni si les derniers éclairs lointains jetaient encore quelques étincelles ensommeillées, mais il n'entendait plus de tonnerre.

Il aspira profondément et pensa : Qu'est-ce que j'ai donc promis à Gladia ? Que se passera-t-il demain ?

Dernier acte : L'échec.

Et alors que Baley dérivait dans son premier sommeil, il se rappela cet incroyable éclair de perception qui lui était venu avant qu'il s'endorme.

69

Cela lui était arrivé deux fois. Une fois la veille au soir, alors qu'il s'endormait, comme maintenant; une autre fois, au début de la soirée quand il avait sombré dans l'inconscience au pied des arbres, sous l'orage. A chaque fois, une idée lui était venue, une intuition qui avait éclairci le problème comme les éclairs illuminaient la nuit.

Et cela avait été aussi bref que la luminosité de l'éclair.

Qu'est-ce que c'était?

Est-ce que cela lui reviendrait?

Cette fois, il s'efforça consciemment de saisir l'idée; de mettre le doigt sur la vérité fugitive... Ou bien n'était-ce qu'une illusion fugitive? Etait-ce le lent départ de la raison consciente et l'arrivée des séduisants non-sens que l'on ne pouvait analyser correctement?

Sa quête cependant lui échappa lentement. Cela ne viendrait pas sur un simple appel, pas plus qu'une licorne ne surgirait sur un monde où les licornes n'existaient pas.

Il trouva plus facile de penser à Gladia et à l'effet qu'elle lui avait fait. Il y avait eu le contact direct avec le tissu soyeux de sa blouse, et aussi celui des bras minces et délicats, du dos lisse.

Aurait-il osé l'embrasser, si ses jambes ne s'étaient pas dérobées? Ou bien était-ce aller trop loin?

Il entendit sa propre respiration s'exhaler dans un léger ronflement et, comme toujours, cela le gêna. Il se força à se réveiller et pensa de nouveau à Gladia. Avant de partir, sûrement... mais pas s'il ne pouvait rien faire pour elle en... est-ce que ce serait un paiement pour services... Il entendit de nouveau le léger ronflement et en fut moins embarrassé cette fois.

Gladia... il n'avait jamais pensé la revoir... encore moins la toucher, encore moins l'enlacer, l'enlacer...

Et il ne sut à quel moment il passa de la pensée libre au rêve.

Il la tenait de nouveau dans ses bras, mais il n'y avait pas de blouse. Elle avait la peau tiède et satinée et il laissait lentement glisser sa main sur ses épaules, le long de ses côtes...

C'était d'un réalisme total. Tous les sens de Baley y participaient. Il respirait le parfum de ses cheveux, ses lèvres découvraient le goût légèrement, très légèrement salé de sa peau et puis, sans savoir comment, ils n'étaient plus debout. S'étaient-ils couchés ? Et qu'était devenue la lumière ?

Il sentait le matelas sous lui, le drap sur lui... dans l'obscurité... et elle était toujours dans ses bras, entièrement nue.

Il se réveilla en sursaut.

— Gladia ?

Elle lui posa le bout des doigts sur la bouche.

— Chut, Elijah... Ne dis rien...

Autant lui demander d'arrêter le flot de sa circulation.

— Mais... Que faites-vous ? bredouilla-t-il.

— Tu ne le sais pas ? murmura-t-elle. Je suis au lit avec toi.

— Mais pourquoi ?

— Parce que j'en ai envie, dit-elle, et elle se serra contre lui.

Elle tira sur le col du vêtement de nuit de Baley et la veste s'entrouvrit.

— Ne bouge pas, Elijah. Tu es fatigué et je ne veux pas t'épuiser davantage.

Elijah sentit une chaleur dans son bas-ventre et décida de ne pas protéger Gladia contre elle-même.

— Je ne suis pas fatigué à ce point !

— Non ! ordonna-t-elle. Je veux que tu te reposes. Ne bouge pas.

Elle avait la bouche sur les lèvres de Baley, comme

pour le forcer à se taire. Il se détendit et une petite pensée lui passa par la tête : il obéissait à des ordres, il était vraiment fatigué et ne demandait qu'à être plus passif qu'actif. Et, avec un peu de honte, l'idée lui vint que cela atténuait un peu sa culpabilité. (Je n'ai pas pu l'en empêcher, s'entendit-il protester. Elle m'a forcé.) Par Josaphat, quelle lâcheté! Quelle intolérable dégradation !

Mais ces pensées-là s'enfuirent aussi. Il y avait maintenant une musique douce et la température s'était un peu élevée. Les draps avaient disparu, le vêtement de nuit aussi. Baley sentit sa tête attirée au creux du bras de Gladia.

Avec un détachement étonné, il comprit, à sa position, que cette douceur était celle du sein gauche de Gladia.

Tout doucement, elle chantait sur la musique, un air joyeux et berceur qu'il ne connaissait pas.

Elle ondula lentement et caressa le menton et le cou de Baley. Il se détendit, heureux de ne rien faire, de lui laisser l'initiative.

Il ne l'aidait pas et quand il finit par réagir avec une excitation croissante, jusqu'au soulagement explosif, ce fut parce qu'il ne pouvait faire autrement.

Elle paraissait infatigable et il ne voulait pas qu'elle s'arrête. Tout à fait à part de la sensualité et de la réaction sexuelle, il éprouvait ce qu'il avait déjà ressenti : le luxe total d'une passivité d'enfant.

Finalement, il fut incapable de réagir encore une fois et elle-même n'en pouvait plus, semblait-il, car elle retomba, la tête au creux de l'épaule gauche de Baley, son bras en travers de son torse, caressant tendrement les courts poils frisés.

Il crut l'entendre murmurer :

— Merci... Merci...

De quoi ? se demanda-t-il.

Il avait à peine conscience d'elle, à présent, car cette fin incroyablement douce d'une dure journée était aussi génératrice de sommeil que le légendaire Nepenthé et il se sentit glisser, comme si le bout de ses doigts se détachait du bord du précipice de la dure réalité afin qu'il tombe... tombe... dans les légers nuages du sommeil, dans les eaux onduleuses de l'océan du rêve.

Au même instant, ce qui n'était pas venu à sa demande arriva... Pour la troisième fois, le rideau fut levé et tous les événements depuis qu'il avait quitté la Terre reparurent nettement. Encore une fois, tout était clair. Il se débattit, fit un effort pour parler, pour entendre les mots qu'il avait besoin d'entendre. Mais il eut beau tenter de les saisir avec tous les tentacules de son esprit, ils lui échappèrent et disparurent.

Ainsi, de ce côté-là, la deuxième journée de Baley à Aurora se termina presque de la même façon que la première.

XVII

Le Président

70

Quand Baley ouvrit les yeux, il trouva la pièce inondée de soleil et en fut heureux. Dans son étonnement encore ensommeillé, il l'accueillit avec joie.

Cela signifiait que l'orage était fini, c'était comme s'il n'avait jamais éclaté. Le soleil, quand on ne le considérait que comme l'alternative de la lumière égale, tamisée, chaude et contrôlée des Villes, ne pouvait être jugé que néfaste et incertain. Mais si on le comparait à l'orage, c'était la promesse de la paix. Tout, pensa Baley, est relatif et il comprit que plus jamais il ne pourrait envisager le soleil comme un mal absolu.

— Camarade Elijah ?

Daneel se tenait à côté de lui. Giskard était derrière lui.

La longue figure de Baley s'éclaira d'un de ses rares sourires de plaisir pur. Il tendit les deux mains, une à chaque robot.

— Par Josaphat, mes garçons, s'exclama-t-il sans avoir le moins du monde conscience, à ce moment, de l'incongruité de cette appellation, la dernière fois que je vous ai vus ensemble tous les deux, je n'étais pas du tout certain de vous retrouver un jour !

— Voyons, dit gentiment Daneel, il ne pouvait rien arriver de mal à aucun de nous, dans ces circonstances.

— Maintenant, avec ce soleil, je le vois bien. Mais hier soir, j'avais l'impression que l'orage me tuerait et j'étais certain que tu courais un danger mortel, Daneel. Il me semblait même possible que Giskard puisse être endommagé, je ne sais comment, en essayant de me défendre contre des ennemis écrasants. C'était mélodramatique, je le reconnais, mais je n'étais pas dans mon état normal, vous savez.

— Nous le sentions bien, monsieur, dit Giskard. C'est ce qui nous a fait hésiter à vous quitter en dépit de votre ordre pressant. Nous espérons qu'aujourd'hui ce n'est pas pour vous une source de mécontentement.

— Pas du tout, Giskard.

— Et, dit Daneel, que vous avez été bien soigné depuis que nous vous avons quitté.

Ce fut alors, seulement, que Baley se rappela les événements de la soirée.

Gladia!

Il regarda de tous côtés, avec une stupéfaction subite. Elle n'était pas dans la chambre. Avait-il imaginé...

Non, bien sûr que non. Ce serait impossible.

Il regarda Daneel en fronçant les sourcils, comme s'il soupçonnait sa réflexion d'être de nature libidineuse.

Mais cela aussi, c'était impossible. Un robot, même humaniforme, ne pouvait être conçu pour prendre aux sous-entendus un plaisir lubrique.

— Très bien soigné, répondit Baley. Mais pour le moment, j'ai surtout besoin qu'on m'indique la Personnelle.

— Nous sommes là, monsieur, expliqua Giskard, pour vous guider et vous aider toute la matinée. Miss Gladia a pensé que vous seriez plus à l'aise avec nous qu'avec son propre personnel et elle a bien insisté pour que nous ne vous laissions manquer de rien.

Baley parut un peu inquiet.

— Jusqu'où vous a-t-elle ordonné d'aller? Je me sens

assez bien, maintenant, alors je n'ai pas besoin qu'on me lave et qu'on m'essuie. Je peux très bien faire ça moi-même. Elle le comprend, j'espère.

— Vous n'avez à craindre aucune gêne, camarade Elijah, dit Daneel avec ce petit sourire qui (semblait-il à Baley) chez un être humain, dans ces moments-là, pourrait traduire de l'affection. Nous devons simplement veiller à votre confort. Si, à quelque moment que ce soit, vous devez être plus à l'aise dans la solitude, nous resterons à distance.

— Dans ce cas, Daneel, allons-y, dit Baley, et il sauta du lit.

Il constata avec plaisir qu'il se tenait fort bien sur ses jambes. La nuit de repos et le traitement administré avaient fait merveille... et Gladia aussi.

71

Encore nu, juste assez humide après la douche pour se sentir parfaitement frais, Baley, s'étant brossé les cheveux, se regarda d'un œil critique. Il lui semblait normal de prendre le petit déjeuner avec Gladia mais il ne savait pas trop comment il serait reçu. Peut-être vaudrait-il mieux faire comme s'il ne s'était rien passé, se laisser guider. Et peut-être, pensa-t-il, vaudrait-il mieux aussi faire bonne figure... à condition que ce soit dans le domaine du possible. Il se fit une grimace dans la glace et appela :

— Daneel !

— Oui, camarade Elijah ?

Parlant tout en se brossant les dents, Baley grommela :

— On dirait des vêtements neufs, que tu as là.

— Ils ne m'appartiennent pas, camarade Elijah. Ils étaient à l'Ami Jander.

Baley haussa les sourcils.

— Elle t'a prêté les effets de Jander?

— Miss Gladia ne souhaitait pas que je reste sans vêtements en attendant que les miens soient lavés et séchés. Ils sont maintenant prêts, mais Miss Gladia dit que je peux garder ceux-ci.

— Quand te l'a-t-elle dit?

— Ce matin, camarade Elijah.

— Elle est donc levée?

— Certes. Et vous la rejoindrez pour le petit déjeuner quand vous serez prêt.

Baley pinça les lèvres. Bizarrement, il était plus inquiet à la pensée d'affronter Gladia maintenant que, un peu plus tard, le Président. L'affaire avec le Président, après tout, était celle du Destin. Baley avait décidé de sa stratégie et elle marcherait ou ne marcherait pas. Tandis que pour Gladia... il n'avait aucune stratégie.

Il lui faudrait donc l'affronter.

Il dit, avec le plus d'indifférence nonchalante qu'il put :

— Et comment va Miss Gladia ce matin?

— Elle paraît aller bien, répondit Daneel.

— Gaie? Déprimée?

Daneel hésita.

— C'est difficile de juger de l'humeur interne d'un être humain. Il n'y a rien dans son comportement qui indique un bouleversement intérieur.

Baley jeta un bref coup d'œil à Daneel et se demanda encore une fois si le robot humaniforme ne faisait pas allusion aux événements de la nuit, mais il écarta tout de suite cette possibilité.

Baley passa dans la chambre et considéra, d'un air songeur, les vêtements qui avaient été préparés pour lui. Il se demandait s'il saurait les mettre sans commettre d'erreurs et sans l'aide des robots. L'orage et la nuit étaient passés et il voulait retrouver ses responsabilités d'adulte et son indépendance.

— Qu'est-ce que c'est que ça? demanda-t-il en prenant une longue et large écharpe de tissu couverte d'arabesques multicolores.

— C'est une ceinture de pyjama, répondit Daneel. Purement décorative. Elle se passe sur l'épaule gauche et se noue à la taille du côté droit. Dans certains mondes spatiens, on la porte traditionnellement au petit déjeuner, mais ce n'est pas tellement la mode à Aurora.

— Alors pourquoi la porterais-je ?

— Miss Gladia a pensé qu'elle vous irait bien, camarade Elijah. La méthode, pour faire le nœud, est assez compliquée et je me ferai un plaisir de vous aider.

Par Josaphat, pensa Baley, elle veut que je sois joli ! Qu'est-ce qu'elle peut bien avoir en tête ?

N'y pense pas !

— Laisse, dit-il. Je suis bien capable de faire un simple nœud tout seul. Mais écoute, Daneel, après le petit déjeuner je dois aller chez le Dr Fastolfe, où il y aura une conférence entre lui, Amadiro, le Président de la Législature et moi. Je ne sais pas s'il y aura d'autres personnes présentes.

— Oui, camarade Elijah, je suis au courant. Je crois qu'il n'y aura personne d'autre.

— Eh bien, dans ce cas, dit Baley en commençant à mettre ses sous-vêtements, lentement pour ne pas commettre d'erreurs qui nécessiteraient de faire appel à Daneel, parle-moi du Président. Je sais, d'après mes lectures, qu'il est à Aurora l'équivalent d'un chef d'Etat. Mais j'ai cru comprendre, d'après ces mêmes lectures, que cette fonction est purement honorifique. Il n'a aucun pouvoir, semble-t-il.

— Je crains, camarade Elijah...

Giskard interrompit Daneel :

— Monsieur, je suis plus au courant de la situation politique sur Aurora que ne l'est l'Ami Daneel. Je fonctionne depuis beaucoup plus longtemps. Voulez-vous que je réponde à votre question ?

— Certainement, Giskard. Je t'écoute.

— Initialement, lorsque le gouvernement d'Aurora a été constitué, commença Giskard sur un ton didactique, comme si une cassette d'information se dévidait méthodiquement, il était entendu que le chef de l'Etat n'accomplirait que des devoirs officiels, cérémoniels. Il devait accueillir les dignitaires des autres mondes, ouvrir toutes les sessions de la Législature, présider à ses délibérations et ne voter qu'en cas de scrutin égal, pour départager les parties. Après la Controverse Fluviale, cependant...

— Oui, j'ai lu tout ça, dit Baley. Tu n'as pas besoin d'entrer dans les détails.

— Bien, monsieur. Donc, après la Controverse Fluviale, il y a eu un consensus pour ne plus jamais permettre à la controverse de mettre en péril la société auroraine. Par conséquent, la coutume s'est instaurée de régler toutes les querelles en privé et pacifiquement, en dehors de la Législature. Quand les législateurs passent au vote, c'est après s'être mis d'accord, si bien qu'il y a toujours une importante majorité, d'un côté ou de l'autre.

» Le personnage clef, dans le règlement des disputes, est le Président de la Législature. Il est considéré comme au-dessus des partis et ses pouvoirs, bien qu'entièrement théoriques, sont considérables en pratique. Mais ils ne durent qu'aussi longtemps qu'il reste impartial. Le Président conserve donc jalousement son objectivité et, tant qu'il réussit à le faire, c'est lui qui prend généralement la décision qui règle toute controverse dans un sens ou un autre.

— Tu veux dire que le Président m'écoutera, écoutera Fastolfe et Amadiro, et prendra ensuite une décision?

— Probablement. D'autre part, monsieur, il peut rester indécis et faire appel à d'autres témoignages, exiger un temps de réflexion, ou les deux à la fois.

— Et si le Président prend une décision, est-ce qu'Amadiro la respectera si elle s'oppose à lui, ou Fastolfe si elle s'oppose à lui?

— Ce n'est pas une nécessité absolue. Il y a presque toujours des gens qui n'acceptent pas la décision du

Président et le Dr Amadiro comme le Dr Fastolfe sont deux hommes volontaires et obstinés, à en juger par leur conduite. La plupart des législateurs, cependant, accepteront la décision du Président, quelle qu'elle soit. Le Dr Amadiro ou le Dr Fastolfe, suivant que la décision du Président aille à l'encontre des vœux de l'un ou de l'autre, sera alors certain de se trouver une petite minorité lorsqu'on passera au vote.

— Tout à fait certain, Giskard ?

— Presque. Le mandat du Président est ordinairement de trente ans, avec la possibilité d'être renouvelé par la Législature pour trente ans de plus. Si, toutefois, le vote devait aller à l'encontre de la recommandation du Président, il serait forcé de démissionner tout de suite et il y aurait une crise gouvernementale, pendant que la Législature lui cherche un remplaçant, dans un climat d'aigres querelles. Peu de législateurs sont prêts à prendre ce risque et les chances d'obtenir une majorité contre le Président, alors qu'une crise peut en résulter, sont pratiquement nulles.

— Dans ce cas, dit Baley avec inquiétude, tout dépend de la conférence de ce matin.

— C'est fort probable.

— Merci, Giskard.

Préoccupé, Baley mit de l'ordre dans ses pensées. Il lui semblait avoir des raisons d'espérer, mais il n'avait pas la moindre idée de ce que dirait Amadiro, et il ne savait pas du tout comment était le Président. C'était Amadiro qui avait organisé cette réunion et il devait être assez sûr de lui.

Baley se rappela alors qu'une fois de plus, alors qu'il s'endormait avec Gladia dans ses bras, il avait vu — ou cru voir — la signification de tous les événements d'Aurora. Tout lui avait paru clair, évident, certain. Et une fois de plus, l'illumination avait disparu sans laisser de traces.

Et, avec cette pensée, ses espoirs s'envolaient aussi.

72

Daneel conduisit Baley dans la pièce où le petit déjeuner était servi, plus intime qu'une salle à manger ordinaire. Elle était très simple, sans autres meubles qu'une table et deux chaises. Quand Daneel se retira, il ne se plaça pas dans une niche. Il n'y avait d'ailleurs pas de niches et, pendant un moment, Baley se trouva seul — entièrement seul — dans la pièce.

Non, il n'était pas entièrement seul, il en était certain. Il devait y avoir des robots à portée de voix. Malgré tout, c'était une pièce pour deux; une pièce sans robots; une pièce (l'idée fit hésiter Baley) pour des amants.

Sur la table, il y avait deux piles de grosses crêpes mais qui ne sentaient pas la crêpe, tout en ayant quand même une bonne odeur. Elles étaient flanquées de deux récipients contenant quelque chose qui ressemblait à du beurre fondu et il y avait un pichet d'une boisson chaude (que Baley avait déjà goûtée et n'aimait pas beaucoup) qui remplaçait le café.

Gladia arriva, habillée assez strictement, les cheveux brillants, bien coiffés. Elle s'arrêta un instant sur le seuil, avec un demi-sourire.

— Elijah?

Baley, surpris de cette apparition soudaine, se leva d'un bond.

— Comment allez-vous, Gladia? demanda-t-il en bafouillant un peu.

Elle n'y prit pas garde. Elle paraissait gaie, insouciante.

— Si l'absence de Daneel vous inquiète, vous avez tort, dit-elle. Il est en sécurité. Quant à nous...

Elle s'approcha et leva lentement une main vers la joue de Baley comme elle l'avait fait sur Solaria. Elle rit, légèrement.

— C'est tout ce que j'ai fait alors, Elijah. Vous vous souvenez ?

Il hocha la tête en silence.

— Avez-vous bien dormi, Elijah ?... Mais asseyez-vous donc, chéri.

Il se rassit.

— J'ai très bien dormi... Merci, Gladia.

Il hésita, avant de renoncer à employer des mots tendres.

— Ne me remerciez pas. J'ai passé ma meilleure nuit depuis des semaines, et je n'aurais pas si bien dormi si je n'avais pas quitté ce lit avant d'être sûre que vous dormiez profondément. Si j'étais restée — comme je le voulais —, je vous aurais agacé avant que la nuit soit finie et vous n'auriez pas profité de votre repos.

Il comprit la nécessité d'être galant.

— Il y a des choses plus importantes que le repos, Gladia, dit-il, mais sur un ton si protocolaire qu'elle rit encore.

— Pauvre Elijah ! Vous êtes embarrassé.

Il fut d'autant plus gêné qu'elle s'en apercevait. Il s'était préparé à de la contrition, du dégoût, de la honte, à une indifférence affectée, à des larmes... à tout sauf à cette attitude franchement érotique.

— Allons, ne souffrez pas tant, dit-elle. Vous avez faim. Vous n'avez pratiquement rien mangé hier soir. Il faut emmagasiner des calories, vous vous sentirez plus en forme.

Baley regarda d'un air sceptique les crêpes.

— Ah ! s'exclama Gladia, vous n'avez probablement jamais vu ça. C'est une spécialité solarienne. Des pachinkas. J'ai dû reprogrammer mon chef pour qu'il arrive à les réussir. Tout d'abord, il faut utiliser une farine importée de Solaria. Celles d'Aurora ne donnent pas de bons résultats. Et les pachinkas sont fourrées. On peut employer au moins mille garnitures différentes mais celle-ci est ma préférée et je suis sûre que vous l'aimerez aussi. Je ne vous dirai pas tout ce qu'elle contient, à part de la purée de châtaignes et un peu de miel. Mais goûtez et dites-moi ce que vous en pensez. Vous pouvez manger avec vos doigts mais faites attention en mordant.

Elle prit une pachinka, délicatement entre le pouce et le majeur de chaque main, en mordit une petite bouchée, lentement, et lécha la crème dorée, à demi liquide, qui en coulait.

Baley l'imita. La pachinka était dure au toucher, chaude mais pas brûlante. Il en mit prudemment une extrémité dans sa bouche et s'aperçut qu'elle résistait un peu sous les dents. Il mordit plus fortement, la croûte craqua et le contenu se répandit sur ses mains.

— Vous avez pris une trop grande bouchée et mordu trop fort, lui dit Gladia en se précipitant vers lui avec une serviette. Maintenant léchez vos doigts. D'ailleurs, personne ne peut manger proprement une pachinka. C'est impossible. On est censé se barbouiller. Idéalement, ça devrait se manger tout nu et on prendrait une douche après.

Baley lécha avec précaution le bout de ses doigts et son expression fut assez éloquente.

— Vous aimez ça, n'est-ce pas ? dit Gladia.

— C'est délicieux, assura-t-il, et il prit une autre bouchée, plus lentement et plus doucement.

Ce n'était pas trop sucré et ça fondait dans la bouche.

Il mangea trois pachinkas et seule la bienséance le retint d'en prendre davantage. Il se lécha les doigts sans avoir besoin d'y être invité et négligea la serviette.

— Trempez vos doigts dans le rinceur, Elijah, dit-elle en lui montrant comment faire.

Le « beurre fondu » n'était autre qu'un rince-doigts.

Baley obéit et s'essuya les mains. Elles ne gardaient pas la moindre odeur.

— Etes-vous embarrassé à cause d'hier soir, Elijah ? demanda Gladia. C'est tout l'effet que ça vous fait ?

Que répondre à cela ? se demanda-t-il. Il finit par acquiescer.

— Un peu, je le crains. Ce n'est pas tout ce que je

ressens, de très loin, mais oui, je suis embarrassé. Réfléchissez, Gladia. Je suis un Terrien, vous le savez, mais pour le moment vous préférez ne pas vous en souvenir et « Terrien » n'est pour vous qu'un mot de deux syllabes sans signification particulière. Hier soir, vous aviez pitié de moi, vous vous inquiétiez des problèmes que j'avais eus pendant l'orage, vous éprouviez pour moi ce que vous auriez éprouvé pour un enfant et... et par compassion, à cause de cette vulnérabilité, vous êtes venue à moi. Mais ce sentiment se dissipera — je suis étonné qu'il n'en soit pas déjà ainsi — et alors vous vous souviendrez que je suis un Terrien et vous aurez honte, vous vous sentirez avilie, souillée. Vous m'en voudrez terriblement et je ne veux pas être détesté... Je ne veux pas être détesté, Gladia !

(Il se dit que s'il avait l'air aussi malheureux qu'il l'était, il devait avoir une mine vraiment pitoyable.)

Gladia dut le penser aussi car elle allongea un bras vers lui et lui caressa la main.

— Je ne vous déteste pas, Elijah. Pourquoi vous en voudrais-je ? Vous ne m'avez rien fait que je n'aie désiré. C'est moi qui vous ai forcé et je m'en réjouirai toute ma vie. Vous m'avez libérée par un contact il y a deux ans, Elijah, et hier soir vous m'avez libérée encore une fois. Il y a deux ans, j'avais besoin de savoir que j'étais capable de désir et, hier soir, j'avais besoin de savoir que je pouvais de nouveau éprouver du désir, après Jander. Elijah... Restez avec moi. Ce serait...

Il l'interrompit et parla avec une grande sincérité :

— Comment serait-ce possible, Gladia ? Je dois retourner dans mon propre monde. J'ai là-bas des devoirs, des tâches et vous ne pouvez pas venir avec moi. Vous seriez incapable de mener la vie que l'on mène sur Terre. Vous pourriez mourir de maladies terriennes, si la foule et la claustrophobie ne vous tuaient pas avant. Vous devez le comprendre !

— Pour ce qui est de la Terre, je comprends, reconnut-elle avec un soupir, mais vous n'avez pas besoin de partir immédiatement.

— Il se peut qu'avant la fin de la matinée je sois chassé de la planète par le Président.

— Vous ne le serez pas, déclara Gladia avec force. Vous ne le permettrez pas... Et si vous êtes chassé, nous pouvons nous réfugier dans un autre monde spatien. Il y en a des dizaines parmi lesquels nous pouvons choisir. La Terre vous tient-elle tant à cœur que vous ne voudriez pas vivre dans un monde spatien ?

— Je pourrais vous répondre évasivement, Gladia, faire observer que dans aucun monde spatien on ne me permettra de m'établir définitivement, et vous le savez très bien. Mais ce qui est beaucoup plus vrai, c'est que même si un des mondes spatiens m'accueillait, m'acceptait, la Terre aurait quand même une grande importance pour moi et il faudrait que j'y retourne... Même si pour cela je dois vous abandonner.

— Et ne plus jamais revenir sur Aurora ? Ne plus jamais me revoir ?

— Si je pouvais vous revoir, je reviendrais, dit Baley. Je reviendrais sans cesse. Mais à quoi bon le dire ? Vous savez que je ne serai sûrement plus invité. Et vous savez que je ne puis revenir sans invitation.

— Je ne veux pas croire cela, Elijah, murmura Gladia d'une voix sourde.

— Gladia... Gladia, ne vous rendez pas malheureuse. Il s'est passé quelque chose de merveilleux, mais il vous arrivera d'autres choses merveilleuses — beaucoup, de toutes sortes — mais pas la *même* chose. Tournez-vous vers l'avenir, tournez-vous vers d'autres.

Elle ne répondit pas.

— Gladia, reprit Baley sur un ton pressant, a-t-on besoin de savoir ce qui s'est passé entre nous ?

Elle releva la tête, l'air peiné.

— En auriez-vous tellement honte ?

— De ce qui s'est passé ? Certainement pas ! Mais même si je n'en ai pas honte, cela pourrait avoir des conséquences plutôt embarrassantes. On parlerait de l'affaire. Par la faute de cette horrible dramatique, qui a présenté une version déformée de nos rapports, nous sommes à la pointe de l'actualité. Le Terrien et la Solarienne. S'il y a jamais le moindre soupçon de... d'amour entre nous, cela se saura sur la Terre, à la rapidité d'un vol hyperspatial.

Gladia haussa les sourcils avec un certain dédain.

— Et la Terre vous jugera avili? Vous vous serez permis des relations sexuelles avec une personne au-dessous de votre condition?

— Mais non, mais non, voyons, bien sûr que non, protesta Baley, mal à l'aise car il savait que ce serait certainement l'opinion de milliards de Terriens. Mais l'idée ne vous est donc pas venue que ma femme pourrait en entendre parler? Je suis marié!

— Et alors? Qu'est-ce que ça peut faire?

Baley poussa un profond soupir.

— Vous ne comprenez pas, Gladia. Les mœurs de la Terre ne sont pas celles des Spatiens. Nous avons connu des époques dans notre histoire où les mœurs sexuelles étaient assez libres, du moins dans certains pays et pour certaines classes. L'époque actuelle n'est pas comme ça. Les Terriens vivent les uns sur les autres et, dans ces conditions, une morale stricte, puritaine, est indispensable pour conserver la stabilité du système de la famille.

— Vous voulez dire que chacun a un seul ou une seule partenaire?

— Non, avoua Baley. Pour être tout à fait franc, ça ne se passe pas toujours ainsi. Mais on prend soin de garder ces irrégularités suffisamment discrètes pour que tout le monde... que tout le monde puisse...

— Faire comme si elles n'existaient pas?

— Eh bien, oui. Mais dans notre cas...

— Ce serait tellement public que personne ne pourrait feindre de n'en rien savoir et votre femme serait très fâchée contre vous. Elle vous frapperait?

— Non, elle ne me frapperait pas, mais elle serait humiliée, ce qui est pire. Je serais humilié aussi, ainsi que mon fils. Ma situation sociale en souffrirait et... Gladia, si vous ne comprenez pas, bon, vous ne comprenez pas, mais promettez-moi de ne pas parler librement de cela, comme le font les Aurorains.

Baley se rendait compte qu'il avait une attitude assez piteuse. Gladia le considéra d'un air songeur.

— Je ne voulais pas vous taquiner, Elijah. Vous avez été bon pour moi et je ne voudrais pas être méchante avec vous mais... (elle leva les mains et les laissa retomber, d'un geste résigné)... mais que voulez-vous... Vos coutumes terriennes sont ridicules.

— Sans aucun doute. Cependant, je dois les observer, comme vous avez observé les coutumes solariennes.

— Oui, reconnut-elle, la figure assombrie par ce souvenir. Pardonnez-moi, Elijah. Je vous fais des excuses. Réellement et sincèrement. Je veux ce que je ne peux pas avoir, et je m'en prends à vous.

— Ça ne fait rien.

— Si. Je vous en prie, Elijah, laissez-moi vous expliquer quelque chose. J'ai l'impression que vous ne comprenez pas ce qui s'est passé hier soir. Croyez-vous que vous serez encore plus embarrassé si je vous l'explique ?

Baley se demanda ce que Jessie éprouverait et ce qu'elle ferait si elle pouvait entendre cette conversation. Il savait très bien qu'il ferait mieux de se préoccuper de sa confrontation avec le Président, qui n'allait pas tarder, et non de son dilemme conjugal, qu'il devait penser au danger de la Terre et non à celui de sa femme, mais à la vérité, il ne pouvait penser qu'à Jessie.

— Je serai probablement embarrassé, dit-il, mais expliquez toujours...

Gladia déplaça sa chaise, sans appeler un robot de son personnel pour le faire. Baley attendit, nerveusement.

Elle plaça la chaise tout à côté de lui, en sens inverse, pour lui faire face en s'asseyant. En même temps, elle posa sa petite main dans la sienne et il la pressa machinalement.

— Vous voyez, dit-elle, je ne crains plus le contact. Je n'en suis plus au stade où je pouvais tout juste effleurer un instant votre joue.

— C'est possible, mais cela ne vous apporte pas ce que vous a apporté ce bref frôlement, il y a deux ans, n'est-ce pas, Gladia ?

— Non. Ce n'est pas la même chose, mais ça me plaît quand même. Je pense que c'est un progrès, réellement. D'être si profondément bouleversée par un simple contact fugace, c'était bien la preuve que je menais depuis bien longtemps une vie anormale. Maintenant, ça va mieux. Puis-je vous expliquer en quel sens ? Ce que je viens de dire n'est que le prologue.

— Je vous écoute.

— J'aimerais que nous soyons au lit et qu'il fasse noir. Je parlerais plus librement.

— Nous sommes assis et il fait jour, Gladia, mais je vous écoute.

— Oui... A Solaria, Elijah, il n'y a pour ainsi dire pas de rapports sexuels. Vous le savez.

— Oui.

— Je n'ai jamais vraiment su ce que c'était. Deux fois, seulement deux, mon mari s'est approché de moi par devoir. Je ne vous décrirai pas la scène, mais j'espère que vous me croirez si je vous dis que, lorsque j'y pense maintenant avec le recul, c'était pire que rien.

— Je n'en doute pas.

— Mais je savais ce que c'était. J'avais lu des descriptions dans des livres. J'en avais parlé, parfois, avec d'autres femmes, qui prétendaient toutes que c'était un horrible devoir que devaient subir les Solariennes. Si elles avaient des enfants, jusqu'à la limite de leur quota, elles disaient toutes qu'elles étaient enchantées de ne plus avoir à s'y soumettre.

— Et vous les avez crues ?

— Naturellement. Je n'avais jamais entendu dire autre chose, et les rares récits non solariens que j'avais lus étaient dénoncés, traités de fantaisies, de mensonges. Je croyais cela aussi. Mon mari a découvert des livres que je possédais, il les a appelés de la pornographie et il les a brûlés. Et puis aussi, vous savez, les gens peuvent se convaincre de n'importe quoi. Les Solariennes étaient certainement sincères et méprisaient ou détestaient réellement les rapports sexuels. Elles me paraissaient en tout cas sincères et ça me donnait l'impression d'être terriblement anormale, parce que j'étais curieuse de ces choses-là et... et parce que j'éprouvais des sensations bizarres que je ne comprenais pas.

— A ce moment-là, vous n'avez pas cherché à utiliser des robots pour calmer vos ardeurs, d'une façon ou d'une autre ?

— Non, cette idée ne m'est même pas venue. Ni mes mains ni aucun objet inanimé. On chuchotait que cela se faisait parfois, mais avec une telle horreur ou prétendue horreur, que pour rien au monde je ne me serais permis une chose pareille. Naturellement, je faisais des rêves et, parfois, quelque chose me réveillait qui, lorsque j'y pense maintenant, devait être un début d'orgasme. Je n'y ai jamais rien compris, bien entendu, et je n'osais pas en parler. J'en avais affreusement honte. J'étais même terrifiée par le plaisir que j'y prenais. Et puis je suis venue sur Aurora.

— Vous me l'avez dit. Mais les rapports avec les Aurorains n'ont pas été satisfaisants.

— Non. Ils me faisaient penser que les Solariens avaient raison, après tout. Que les rapports sexuels n'étaient pas du tout comme mes rêves. C'est seulement avec Jander que j'ai compris. Ce n'est pas comme les rapports sexuels qu'on a à Aurora. C'est... c'est une chorégraphie, ici. Chaque stade est dicté par la mode, par la méthode d'approche, du début jusqu'à la fin. Il n'y a rien d'inattendu, rien de spontané. A Solaria, comme il n'y a pas de sexualité, rien n'est donné ou reçu. Et à Aurora, tout est tellement stylisé que, finalement, rien n'est donné ni reçu non plus. Comprenez-vous ?

— Je ne sais pas, Gladia, puisque je n'ai jamais eu de

rapports avec une Auroraine. Et je n'ai jamais été un Aurorain. Mais il n'est pas nécessaire de donner des explications. J'ai une vague idée de ce que vous voulez dire.

— Vous êtes terriblement gêné, n'est-ce pas?

— Pas au point de ne pouvoir vous écouter.

— Et puis j'ai connu Jander et j'ai appris à me servir de lui. Ce n'était pas un homme aurorain. Son seul but, son seul but possible, était de me plaire. Il donnait et je prenais, et pour la première fois j'ai vécu les rapports sexuels comme ils doivent l'être. Cela, vous le comprenez? Pouvez-vous imaginer ce que c'est de s'apercevoir soudain qu'on n'est pas folle, ni anormale, ni perverse, ni même dans son tort, simplement... mais de savoir que l'on est une femme et que l'on a un partenaire sexuel?

— Je pense pouvoir l'imaginer.

— Ensuite, après une période si brève, se voir privée de tout... Je pensais... Je pensais que c'était la fin. J'étais condamnée, maudite. Jamais plus, durant des siècles de vie, je ne connaîtrais de nouveau des rapports sexuels satisfaisants. Ne jamais avoir connu cela, c'était déjà assez grave. Mais l'avoir connu, contre toute attente, et ensuite tout perdre brusquement, se retrouver sans *rien*... Ça, c'était intolérable! Vous voyez donc combien cette nuit a été importante.

— Mais pourquoi moi, Gladia? Pourquoi pas quelqu'un d'autre?

— Non, Elijah, il fallait que ce soit vous. Nous sommes arrivés et nous vous avons trouvé, Giskard et moi, et vous étiez sans défense. Vous n'étiez pas totalement inconscient mais votre corps ne vous obéissait plus. Vous deviez être porté, déposé dans la voiture. J'étais là quand vous avez été réchauffé, soigné, baigné, incapable de faire quoi que ce soit par vous-même. Les robots se sont occupés de vous avec une merveilleuse efficacité, se sont affairés pour vous faire revivre et empêcher qu'il vous arrive du mal, mais sans éprouver le moindre sentiment. Tandis que moi j'observais, et j'éprouvais des émotions, des sentiments.

Baley baissa la tête, serrant les dents à la pensée d'avoir été publiquement si désarmé. Sur le moment, il avait savouré le plaisir d'être dorloté, mais à présent il se sentait honteux.

— J'aurais voulu faire tout cela pour vous, reprit-elle. J'en voulais aux robots de se réserver le droit d'être gentils avec vous, de donner. Et je me voyais à leur place. J'éprouvais une excitation sexuelle croissante, ce que je n'avais pas ressenti depuis la mort de Jander... Et l'idée m'est venue, alors, que pendant mes seuls rapports sexuels réussis, je n'avais fait que prendre, recevoir. Jander donnait ce que je désirais mais il ne prenait jamais. Il était incapable de prendre puisque son seul plaisir était de me faire plaisir. Et il ne m'est jamais venu à l'idée de donner, parce que j'avais été élevée parmi des robots et que je savais qu'ils ne pouvaient pas recevoir.

» Et, en observant, j'ai pensé que je ne connaissais que la moitié des choses du sexe. Et je voulais désespérément connaître l'autre moitié. Mais alors, ensuite, à table au dîner, vous avez paru fort. Vous étiez assez fort pour me consoler et comme j'avais éprouvé ce sentiment pour vous, alors qu'on vous soignait, je n'ai plus eu peur de vous parce que vous étiez de la Terre. J'acceptais volontiers d'être dans vos bras, je le *voulais*. Mais même là, alors que vous m'enlaciez, j'ai eu des remords et du chagrin parce que, encore une fois, je prenais sans rien donner.

» Et vous m'avez dit alors que vous aviez besoin de vous asseoir. Ah, Elijah, c'est la chose la plus merveilleuse que vous pouviez me dire !

Baley se sentit rougir.

— J'en ai été affreusement gêné, c'était un aveu de faiblesse, à mes yeux.

— C'était justement ce qu'il me fallait. Cela m'a rendue folle de désir. Je vous ai obligé à vous coucher et puis je suis venue à vous et, pour la première fois de ma vie, j'ai donné. Je n'ai rien pris et le charme de Jander a été rompu car je comprenais qu'il n'avait pas suffi. Ce devait être possible de prendre et de donner à la fois... Elijah, restez avec moi !

Baley secoua la tête.

— Gladia, si je me coupais le cœur en deux, cela ne changerait rien à la réalité. Je ne peux pas rester sur Aurora. Je dois retourner sur la Terre. Vous ne pouvez pas venir sur la Terre.

— Et si je pouvais venir sur la Terre, Elijah ?

— Pourquoi dites-vous une telle sottise ? Même si vous le pouviez, je vieillirais rapidement et ne vous servirais plus à rien. Dans vingt ans, trente au plus, je serai un vieillard, et plus probablement mort, alors que vous resterez telle que vous êtes pendant des siècles.

— Mais c'est justement ce que je veux dire, Elijah ! Sur Terre, je serai sujette à vos maladies et je vieillirai moi aussi très vite.

— Vous ne le voudriez pas. D'ailleurs, la vieillesse n'est pas une maladie. On s'affaiblit, on tombe malade et, très rapidement, on meurt. Gladia, Gladia, vous pouvez trouver un autre homme.

— Un Aurorain ? dit-elle avec mépris.

— Vous pouvez enseigner. Maintenant que vous savez comment recevoir et donner, apprenez-leur à faire aussi les deux.

— Si j'enseigne, apprendront-ils ?

— Quelques-uns, oui. Il y en aura sûrement. Vous avez tout le temps de trouver un tel homme. Il y a...

(Non, pensa-t-il, ce n'est pas prudent de mentionner Gremionis en ce moment, mais peut-être que s'il venait à elle... moins poliment et avec un peu plus de détermination...)

Elle resta un moment songeuse.

— Est-ce possible ? murmura-t-elle, puis elle posa sur Baley ses yeux gris-bleu embués de larmes. Ah, Elijah ! Vous ne vous rappelez donc rien de ce qui s'est passé cette nuit ?

— Je dois avouer, dit-il un peu tristement, qu'une

partie de cette nuit reste assez vague dans mon souvenir.

— Si vous vous en souveniez, vous ne voudriez pas me quitter.

— Je ne veux pas vous quitter, Gladia. Simplement, je le dois.

— Et, ensuite, vous aviez l'air si paisiblement heureux, si reposé. J'étais blottie contre votre épaule et je sentais votre cœur battre, rapidement d'abord, puis plus lentement, sauf quand vous vous êtes redressé brusquement... Vous vous rappelez ça ?

Baley sursauta et recula un peu, en la regardant au fond des yeux.

— Non, je ne m'en souviens pas. Que voulez-vous dire ? Qu'est-ce que j'ai fait ?

— Je vous l'ai dit. Vous vous êtes redressé brusquement.

— Oui, mais quoi encore ?

Le cœur de Baley battait rapidement, maintenant, aussi rapidement sûrement que la veille après l'amour. Trois fois, quelque chose qui semblait être la vérité lui était apparu, mais les deux premières fois, il était seul. La troisième, la veille, Gladia était là. Il avait un témoin.

— Il n'y a rien eu d'autre, vraiment, dit-elle. Je vous ai demandé : « Qu'y a-t-il, Elijah ? » Mais vous n'avez pas fait attention à moi. Vous avez dit : « Ça y est, je l'ai. Je l'ai. » Vous ne parliez pas clairement et vos yeux étaient fixes. C'était assez effrayant.

— C'est tout ce que j'ai dit ? Par Josaphat, Gladia ! Je n'ai rien dit d'autre ?

Elle fronça les sourcils.

— Je ne me souviens pas. Vous vous êtes rallongé et je vous ai dit de ne pas avoir peur, que vous étiez en sécurité. Et je vous ai caressé, vous avez refermé les yeux et vous vous êtes endormi... et vous avez *ronflé* ! Je n'avais encore jamais entendu personne ronfler ; mais c'était sûrement cela, d'après les descriptions.

Visiblement, elle en était amusée.

— Ecoutez-moi, Gladia. Qu'est-ce que j'ai dit, exactement ? « Je l'ai. Je l'ai. » Est-ce que je n'ai pas dit ce que c'était, que j'avais ?

Elle réfléchit encore.

— Non. Je ne me souviens pas... Si, attendez ! Vous avez dit autre chose, d'une voix très basse. Vous avez dit : « Il était là avant. »

— « Il était là avant. » C'est tout ce que j'ai dit ?

— Oui. J'ai pensé que vous vouliez dire que Giskard était arrivé avant les autres robots, que vous cherchiez à surmonter votre peur d'être enlevé, que vous reviviez ces moments sous l'orage. Oui ! C'est pour cela que je vous ai dit de ne pas avoir peur, que vous étiez en sécurité. Et vous avez fini par vous détendre.

— « Il était là avant... » « Il était là avant... »

— Maintenant, je ne l'oublierai pas, Gladia. Merci pour hier soir. Merci de m'avoir parlé.

— Est-ce que c'est important, que vous ayez dit que Giskard vous a trouvé avant les autres ? C'est la vérité. Vous le savez bien.

— Il ne peut pas s'agir de ça, Gladia. Ce doit être quelque chose que *je ne sais pas* mais que je parviens à découvrir uniquement quand mon esprit est totalement détendu.

— Mais alors, qu'est-ce que ça veut dire ?

— Je n'en suis pas sûr, mais si c'est bien ce que j'ai dit, cela doit avoir une signification. Et j'ai à peu près une heure pour le découvrir. (Il se leva.) Je dois partir, maintenant.

Il avait déjà fait quelques pas vers la porte quand Gladia se précipita et le prit dans ses bras.

— Attendez, Elijah !

Il hésita, puis il baissa la tête pour l'embrasser. Pendant un long moment, ils restèrent enlacés.

— Est-ce que je vous reverrai, Elijah ?

— Je ne sais pas, répondit-il tristement. Je l'espère.

Sur ce, il partit à la recherche de Daneel et de Giskard, pour qu'ils prennent les dispositions nécessaires en vue de la prochaine confrontation.

73

La tristesse de Baley persista, alors qu'il traversait la pelouse immense pour se rendre à l'établissement du Dr Fastolfe.

Les robots marchaient à sa droite et à sa gauche. Daneel paraissait tout à fait à l'aise mais Giskard, fidèle à sa programmation et apparemment incapable de l'oublier, surveillait attentivement tout ce qui les entourait.

— Comment s'appelle le Président de la Législature, Daneel ? demanda Baley.

— Je ne sais pas, camarade Elijah. Chaque fois qu'il a été question de lui devant moi, on disait simplement « le Président ». En s'adressant à lui, on l'appelle « monsieur le Président ».

— Il s'appelle Rutilan Horder, monsieur, dit Giskard, mais ce nom n'est jamais mentionné officiellement. On emploie uniquement le titre. Cela sert à souligner la continuité du gouvernement. Les êtres humains remplissant la fonction ont, individuellement, des mandats fixes, mais « le Président » existe toujours.

— Et ce Président particulier... quel âge a-t-il ?

— Il est très vieux, monsieur. Il a trois cent trente-deux ans, répondit Giskard qui, comme toujours, avait réponse à tout.

— Il est en bonne santé ?

— Je n'ai jamais entendu dire le contraire, monsieur.

— A-t-il des caractéristiques personnelles qu'il serait bon que je connaisse ?

Cela parut faire réfléchir Giskard. Il répondit après un silence :

— Cela m'est difficile de le dire, monsieur. Il est dans son second mandat. On le considère comme un Président efficace, compétent, qui travaille dur et obtient des résultats.

— Est-il coléreux ? Patient ? Dominateur ? Compréhensif ?

— Vous pourrez juger de ces choses par vous-même, monsieur.

— Camarade Elijah, intervint Daneel, le Président est au-dessus des partis et des querelles. Il est juste et impartial par définition.

— Je n'en doute pas, marmonna Baley, mais les définitions sont aussi abstraites que « le Président », alors qu'un Président, avec un nom, est un être concret, avec un esprit concret.

Il secoua la tête. Son propre esprit, il était prêt à en jurer, était fortement concret. Ayant par trois fois pensé à quelque chose, pour l'oublier trois fois, il connaissait maintenant son propre commentaire au moment même où il avait eu cette pensée, et cela ne lui apportait rien : « Il était là avant. »

Qui était là avant ? Quand ?

Baley n'avait aucune réponse à cela.

74

Le Dr Fastolfe attendait Baley à la porte de son établissement, avec un robot derrière lui qui paraissait très peu robotiquement agité, comme s'il était incapable de remplir correctement sa mission d'accueil et s'en désolait.

(Mais aussi, on avait toujours tendance à attribuer aux robots des réactions et des mobiles humains. Fort probablement, il ne s'agissait aucunement d'agitation — ni d'aucune autre espèce de sentiment — mais tout simplement d'une légère oscillation de potentiels positroniques résultant de ce que ses ordres étaient de saluer et d'examiner tous les visiteurs, et il ne pouvait parfaitement accomplir son devoir sans repousser Fastolfe, ce qu'il ne pouvait faire non plus en l'absence de toute nécessité urgente. Il exécutait donc de faux départs, l'un après l'autre, ce qui donnait cette apparence d'agitation.)

Baley regardait distraitement le robot et il dut faire un effort pour ramener les yeux sur Fastolfe. (Il pensait à des robots, sans savoir pourquoi.)

— Je suis heureux de vous revoir, docteur Fastolfe, dit-il en tendant machinalement la main.

(Après son aventure avec Gladia, il avait du mal à se souvenir que les Spatiens répugnaient à tout contact physique avec un Terrien.)

Fastolfe hésita un instant puis, la courtoisie l'emportant sur la prudence, il prit la main offerte, la tint légèrement et brièvement, la lâcha et dit :

— J'en suis encore plus enchanté que vous, Baley. Votre épreuve d'hier soir m'a beaucoup alarmé. Ce n'était pas un orage particulièrement violent, mais pour un Terrien ce devait être terrifiant.

— Vous êtes donc au courant de ce qui s'est passé ?

— Daneel et Giskard m'ont fait un rapport assez complet. J'aurais été plus rassuré s'ils étaient venus ici directement et si, éventuellement, ils vous avaient amené avec eux, mais leur décision venait du fait que l'établissement de Gladia était plus près de l'endroit de la panne de l'aéroglisseur, et que vos ordres avaient été particulièrement intenses pour faire passer la sécurité de Daneel avant la vôtre. Ils ne vous ont pas mal interprété, j'espère ?

— Pas du tout. Je les ai forcés à me laisser.

— Etait-ce bien prudent ?

Fastolfe le fit entrer et lui indiqua un fauteuil.

Baley s'y assit.

— Il m'a semblé que c'était la meilleure solution. Nous étions poursuivis.

— C'est ce que m'a dit Giskard. Il m'a également dit que...

— Docteur Fastolfe, interrompit Baley, excusez-moi.

J'ai très peu de temps et je dois vous poser certaines questions.

— Je vous en prie, dit aussitôt Fastolfe avec son inaltérable politesse.

— Il a été dit que vous placiez vos travaux sur le fonctionnement du cerveau au-dessus de tout le reste, que vous...

— Laissez-moi achever, Baley. On vous a dit que je ne supporterais aucun obstacle, que je suis totalement dénué de scrupules, sans la moindre considération pour l'immoralité ou les mauvaises actions, que je ne m'arrêterais à rien, que j'excuserais tout, au nom de l'importance de ma recherche.

— Oui.

— Qui vous a dit cela, Baley ?

— Est-ce important ?

— Peut-être pas. D'ailleurs, ce n'est pas difficile à deviner. C'est ma fille, Vasilia ? J'en suis certain.

— Peut-être. Ce que je voudrais savoir, c'est si cette estimation de votre caractère est juste.

Fastolfe sourit tristement.

— Attendez-vous de moi de la franchise sur mon propre caractère ? Par certains côtés, ces accusations sont fondées. Je considère *réellement* mes travaux comme la chose la plus importante du monde et j'ai *réellement* tendance à tout y sacrifier. Effectivement, je me désintéresse des idées conventionnelles de bien ou de mal, ou d'immoralité, si elles me gênent... J'en suis capable, mais je ne le fais pas. Je ne peux pas m'y résoudre. Et, plus particulièrement, si j'ai été accusé d'avoir tué Jander parce que cela me permettait en quelque sorte de faire progresser mon étude du cerveau humain, je le nie formellement. C'est absolument faux. Je n'ai pas tué Jander.

— Vous avez suggéré que je me soumette à un sondage psychique pour obtenir de mon esprit une information qu'il m'est impossible de découvrir autrement. Avez-vous pensé que si vous vous soumettiez, vous, à un sondage psychique, votre innocence serait démontrée?

Fastolfe hocha la tête d'un air réfléchi.

— J'imagine que Vasilia a laissé entendre que puisque je n'ai pas proposé de m'y soumettre, c'est une preuve de ma culpabilité. Cela aussi, c'est faux. Un sondage psychique est dangereux et j'ai aussi peur de m'y soumettre que vous. J'aurais pu le faire en dépit de mes craintes, si mes adversaires n'y tenaient pas tellement. Ils réfuteraient toute preuve de mon innocence et le sondage psychique n'est pas un instrument assez délicat pour démontrer l'innocence au delà de toute dispute. Mais ce qu'ils obtiendraient surtout par ce sondage, ce serait des renseignements sur ma théorie et ma conception des robots humaniformes. C'est *cela* qu'ils recherchent, et c'est cela que je ne veux pas leur donner.

— Très bien. Je vous remercie, docteur Fastolfe.

— Il n'y a pas de quoi. Et maintenant, si je puis en revenir à ce que je disais, Giskard m'a rapporté qu'après être resté seul dans l'aéroglisseur, vous avez été abordé par des robots inconnus. Du moins, vous avez parlé de robots inconnus, d'une manière assez incohérente, quand vous avez été retrouvé.

— Ces robots inconnus ne m'ont pas attaqué, docteur Fastolfe. J'ai réussi à les dissuader et à les renvoyer, mais j'ai jugé préférable de quitter l'aéroglisseur plutôt que d'attendre leur retour. Je ne réfléchissais peut-être pas très lucidement quand j'ai pris cette décision. Giskard me l'a dit.

Fastolfe sourit.

— Giskard a un point de vue assez simpliste de l'Univers. Savez-vous à qui étaient ces robots?

Baley changea nerveusement de position, sans arriver à s'asseoir confortablement dans le fauteuil.

— Est-ce que le Président est arrivé? demanda-t-il.

— Pas encore, mais il ne va pas tarder. Amadiro sera là bientôt, lui aussi, le directeur de l'Institut de Robotique que vous avez vu hier. Je ne suis pas certain que c'était très prudent. Vous l'avez irrité.

— Je devais le voir, docteur Fastolfe, et il ne m'a pas paru irrité.

— Avec Amadiro, cela ne veut rien dire. A la suite de ce qu'il appelle vos diffamations et votre intolérable atteinte à sa réputation professionnelle, il a forcé la main du Président.

— De quelle façon?

— La mission du Président est d'encourager la réunion de parties adverses en vue de travailler à un compromis. Si Amadiro souhaite avoir un entretien avec moi, le Président, par définition, ne peut pas s'y opposer, encore moins l'interdire. Il doit organiser la réunion et si Amadiro trouve suffisamment de preuves contre vous — et il est bien facile de trouver des preuves contre un Terrien —, alors cela mettra fin à l'enquête.

— Peut-être, docteur Fastolfe, avez-vous eu tort de faire appel à un Terrien pour vous aider, puisque vous êtes si vulnérable...

— Peut-être, Baley, mais je ne voyais pas d'autre solution. Je n'en vois toujours pas, alors je dois compter sur vous pour persuader le Président et l'amener à notre point de vue, si vous pouvez.

— La responsabilité repose sur moi? grogna Baley d'une voix lugubre.

— Entièrement, répliqua Fastolfe sans se troubler.

— Serons-nous seuls, tous les quatre?

— En réalité, nous serons trois : le Président, Amadiro et moi. Nous sommes les deux principaux intéressés, et l'agent de compromis, pour ainsi dire. Vous serez là comme quatrième partie, Baley, mais uniquement toléré. Le Président pourra vous ordonner de sortir, à son gré. J'espère donc que vous ne ferez rien pour l'irriter.

— Je ferai de mon mieux, docteur.

— Par exemple, ne lui tendez pas la main... si vous me pardonnez ma grossièreté.

Baley rougit au souvenir de son geste inconsidéré.

— Je ne le ferai pas.

— Et soyez d'une parfaite politesse. Ne portez aucune accusation, ne vous mettez pas en colère. N'insistez pas sur des déclarations impossibles à étayer...

— Vous voulez dire que je ne dois pas faire pression pour chercher à forcer quelqu'un à se trahir ? Amadiro, par exemple ?

— Oui, exactement. Ce serait de la diffamation et contre-productif. Par conséquent, soyez poli ! Si la politesse masque une attaque, nous ne vous le reprocherons pas. Et tâchez de ne parler que lorsqu'on vous adresse la parole.

— Comment se fait-il, docteur Fastolfe, que vous ayez tant de conseils de prudence à me donner maintenant, alors que jamais auparavant vous ne m'avez averti des dangers de la diffamation ?

— Je suis entièrement fautif, je vous l'accorde, répondit Fastolfe. Simplement, c'est une chose d'une telle notoriété publique que pas un instant je n'ai pensé qu'elle devait être expliquée.

— Ouais, grommela Baley. C'est ce que je pensais.

Fastolfe redressa soudain la tête.

— J'entends un aéroglisseur... J'entends même les pas d'un robot de mon personnel, se dirigeant vers l'entrée. Je suppose que le Président et le Dr Amadiro sont arrivés.

— Ensemble ? s'étonna Baley.

— Sans aucun doute. Amadiro a proposé mon établissement comme lieu de la réunion, m'accordant ainsi l'avantage d'être sur mon propre terrain. Il aura donc l'occasion d'offrir, par courtoisie apparente, d'aller chercher le Président et de le conduire ici. Après tout, ils doivent venir tous les deux. Cela lui donnera quelques minutes pour parler en particulier au Président et faire valoir son point de vue.

— Cela me semble assez injuste, dit Baley. N'auriez-vous pu l'empêcher ?

— Je ne le voulais pas. Amadiro a pris un risque

calculé. Il pourrait dire quelque chose qui irritera le Président.

— Le Président est-il anormalement irritable?

— Non. Pas plus qu'un autre Président, dans la cinquième décennie de son mandat. Cependant, la nécessité de respecter strictement le protocole, la nécessité supplémentaire de ne jamais prendre parti et la réalité d'un pouvoir arbitraire, tout s'allie pour rendre inévitable une certaine irritabilité. Et Amadiro n'est pas toujours très prudent. Son sourire jovial, ses dents blanches, sa bonhomie exubérante peuvent être extrêmement irritants quand ceux qui en sont l'objet ne sont pas de bonne humeur, pour une raison ou une autre... Mais je dois aller les accueillir. Je vous en prie, restez ici et ne bougez pas de ce fauteuil.

Baley ne put donc qu'attendre. Il pensa, sans aucune raison, qu'il était sur Aurora depuis un peu moins de cinquante heures terriennes.

XVIII

Le Président

75

Le Président était petit, étonnamment petit. Amadiro le dépassait presque d'une tête.

Cependant, il était surtout court de jambes et, lorsque tout le monde fut assis, sa petite taille se remarqua beaucoup moins. Il était trapu, avec des épaules et un torse massifs.

Il avait aussi une grosse tête et une figure ridée, marquée par les ans, mais ce n'était pas des rides aimables, dessinées par la bonne humeur et le rire. Elles étaient gravées sur ses joues et son front, semblait-il, par l'exercice du pouvoir. Ses cheveux blancs clairsemés laissaient chauve le sommet du crâne.

La voix était bien accordée à son aspect, grave, décidée. L'âge en avait émoussé le timbre, sans doute, et lui donnait un peu de dureté mais chez un Président (pensa Baley) ce devait être plutôt un avantage qu'un inconvénient.

Fastolfe se livra à tout le protocole de l'accueil, prononça quelques phrases sans importance, offrit à boire et à manger. Durant tout ce rituel, il ne fut pas un instant question de l'étranger et personne ne fit attention à lui.

Ce fut seulement après les préliminaires, lorsqu'ils furent tous assis, que Baley (qui se tenait un peu à l'écart) fut présenté.

— Monsieur le Président, dit-il sans tendre la main. (Puis, avec un vague hochement de tête :) Et, naturellement, je connais déjà le docteur Amadiro.

Le sourire d'Amadiro ne fut pas troublé par la petite nuance d'insolence dans la voix de Baley.

Le Président, qui n'avait pas répondu à la salutation de Baley, plaqua ses mains sur ses genoux, les doigts bien écartés, et déclara :

— Commençons, messieurs, et tâchons de rendre cette conférence aussi brève et concluante que possible.

» Permettez-moi d'abord de souligner que je souhaite passer rapidement sur cette question de conduite, ou d'inconduite possible, d'un Terrien, pour en venir immédiatement au vif du sujet. Et quand je parle du vif du sujet, je ne veux pas évoquer cette affaire immodérément grossie du robot. Le sabotage d'un robot ne concerne que le tribunal civil. Il peut s'ensuivre un jugement pour atteinte à la propriété privée, assorti d'une condamnation en dommages-intérêts mais rien de plus. D'ailleurs, s'il était prouvé que le Dr Fastolfe a rendu le robot Jander Panell hors d'état de fonctionner, c'était après tout un robot qu'il avait conçu, aidé à dessiner, dont il avait surveillé la construction et qui lui appartenait au moment où la mise hors d'état de fonctionner a eu lieu. Par conséquent, aucune peine ne peut s'appliquer, puisqu'une personne est libre de faire ce qu'elle veut de ce qui lui appartient.

» Ce qui est réellement en cause, c'est l'affaire de l'exploration et de la colonisation de la Galaxie. Il s'agit de savoir si nous, les Aurorains, ferons cela seuls, au besoin avec la collaboration des autres mondes spatiens, ou si nous laisserons cette tâche à la Terre. Le Dr Amadiro et les globalistes voudraient qu'Aurora assume seule le fardeau; le Dr Fastolfe souhaite l'abandonner à la Terre.

204

» Si nous pouvons régler cette question, alors l'affaire du robot pourra être laissée au tribunal civil et celle du comportement du Terrien deviendra probablement caduque et nous pourrons simplement nous débarrasser de lui.

» En conséquence, je vais commencer par demander au Dr Amadiro s'il est prêt à accepter la position du Dr Fastolfe, afin de parvenir à un accord, ou si le Dr Fastolfe est prêt à s'aligner sur la position du Dr Amadiro.

Le Président se tut et attendit.

— Je regrette, monsieur le Président, dit Amadiro, mais je dois insister pour que les Terriens restent sur leur seule planète et que la Galaxie soit colonisée par les Aurorains. Je suis toutefois prêt à accepter un compromis, c'est-à-dire à permettre que d'autres mondes spatiens se joignent à nous, si cela peut éviter parmi nous un conflit inutile.

— Je vois, murmura le Président. Et vous, docteur Fastolfe, après avoir écouté cette déclaration, acceptez-vous de renoncer à votre position ?

— Le compromis du Dr Amadiro ne nous apporte pas grand-chose, monsieur le Président. J'en proposerai un autre, d'une plus grande portée. Pourquoi les mondes de la Galaxie ne seraient-ils pas ouverts aussi bien aux Terriens qu'aux Spatiens ? La Galaxie est immense et il devrait y avoir de la place pour tous. Je suis prêt à accepter volontiers ce genre d'arrangement.

— Sans aucun doute, dit Amadiro, car ce n'est pas un compromis. Les huit milliards d'habitants de la Terre représentent une fois et demie la population de tous les mondes spatiens réunis. Les Terriens ont une vie courte, ils sont habitués à remplacer rapidement leurs pertes. Ils n'ont aucun respect pour la vie humaine individuelle. Ils vont se répandre sur tous les mondes, à n'importe quel prix, se multiplier comme des insectes, s'emparer de la Galaxie alors que nous prendrons à peine le départ. Offrir à la Terre une chance prétendument égale de coloniser la Galaxie équivaut à la lui *donner*, et cela n'est pas de l'égalité. Les Terriens doivent demeurer sur la Terre.

— Qu'avez-vous à répondre à cela, Fastolfe? demanda le Président.

Fastolfe soupira.

— Mon point de vue est bien connu. Je crois que je n'ai pas besoin de me répéter. Amadiro a l'intention de se servir de robots humaniformes pour construire les mondes colonisés où les Aurorains s'établiront ensuite, trouvant ces mondes déjà tout prêts. Pourtant, il n'a même pas encore le premier de ces robots humaniformes. Il ne sait pas les construire et le projet se solderait par un échec même s'il en avait. Aucun compromis n'est possible à moins que le Dr Amadiro accepte le principe que les Terriens puissent au moins prendre une part dans la colonisation des nouveaux mondes.

— Aucun compromis n'est possible, déclara Amadiro.

Le Président parut mécontent.

— Je crains que l'un de vous deux ne soit *obligé* de céder. Je ne tiens pas à ce que le monde soit pris dans un déchaînement de passions sur une question d'une telle importance.

Il regarda fixement Amadiro, son expression bien contrôlée n'indiquant ni faveur ni défaveur.

— Vous avez l'intention de vous servir du sabotage de ce robot, Jander, comme argument contre le point de vue de Fastolfe, n'est-ce pas?

— Oui, répondit Amadiro.

— Un argument purement émotionnel. Vous allez prétendre que Fastolfe cherche à discréditer votre point de vue en faisant faussement paraître les robots humaniformes moins utiles qu'ils ne le sont en réalité.

— C'est précisément ce qu'il essaye de faire...

— Diffamation, intervint Fastolfe à voix basse.

— Pas si je peux le prouver, ce qui est le cas, répliqua Amadiro. L'argument est peut-être émotionnel mais il portera. Vous le comprenez, n'est-ce pas, monsieur le Président? Mon point de vue prévaudra, mais risque de provoquer des dégâts. Il vaudrait mieux que vous persuadiez le Dr Fastolfe d'accepter son inévitable défaite et d'épargner au monde l'immense tristesse d'un spectacle qui affaiblirait notre position parmi les autres mondes spatiens et saperait notre confiance en nous.

— Comment pouvez-vous prouver que le Dr Fastolfe a rendu le robot inopérant ?

— Il reconnaît lui-même qu'il est le seul être humain capable de le faire, vous le savez.

— Je sais, dit le Président, mais je voulais vous l'entendre dire, pas à vos électeurs, pas aux médias, mais à moi-même et en particulier. Ce que vous avez fait.

Il se tourna vers Fastolfe.

— Qu'en dites-vous, docteur Fastolfe ? Etes-vous le seul homme qui ait pu détruire le robot ?

— Sans laisser de traces physiques ? Oui, à ma connaissance, je suis le seul. Je ne crois pas que le Dr Amadiro ait suffisamment de connaissances en robotique pour le faire, et je ne cesse d'être stupéfait, alors qu'il a fondé cet Institut, de le voir si appliqué à proclamer sa propre incapacité, même épaulé par tous ses associés... et à le proclamer publiquement.

Il sourit à Amadiro, non sans ironie.

Le Président soupira.

— Non, docteur Fastolfe. Pas de rhétorique malicieuse, je vous en prie. Dispensons-nous des sarcasmes et des piques. Quelle est votre défense ?

— Eh bien, tout simplement que je n'ai fait aucun mal à Jander. Je n'accuse personne d'en avoir fait. C'était un accident, un hasard, l'élément d'incertitude présent dans les circuits positroniques. Cela peut arriver. Que le Dr Amadiro reconnaisse simplement que c'était le fait du hasard, que personne ne peut être accusé sans preuves, et alors nous pourrons discuter des diverses propositions de colonisation suivant leurs mérites.

— Non ! s'exclama Amadiro. Les chances d'une destruction accidentelle sont trop infimes pour être prises en considération, bien plus infimes que les chances de la responsabilité du Dr Fastolfe. Tellement plus infimes que ce serait de l'irresponsabilité de ne pas envisager sa culpabilité. Je ne céderai pas et je gagnerai. Vous le savez très bien, monsieur le Président, et il me semble que la seule mesure rationnelle serait de forcer Fastolfe à accepter sa défaite, cela dans l'intérêt de l'unité mondiale.

Fastolfe répliqua avec vivacité :

— Et cela nous amène à l'enquête que j'ai prié Mr Baley d'entreprendre et pour laquelle je l'ai fait venir de la Terre.

Et Amadiro riposta, tout aussi vivement :

— Une mesure à laquelle je me suis opposé dès qu'elle a été proposée. Le Terrien est peut-être un enquêteur habile mais il ne connaît pas Aurora et il ne peut rien accomplir ici. Rien, excepté diffamer tout le monde à droite et à gauche et présenter Aurora, aux autres mondes spatiens, sous un jour indigne et ridicule. Il y a déjà eu des articles satiriques sur cette affaire dans une demi-douzaine d'importants programmes d'actualités spatiens, dans de nombreux mondes. Des enregistrements de ces émissions ont été envoyés à votre bureau.

— Et ont été portés à mon attention, reconnut le Président.

— Et on commence à murmurer, ici à Aurora, continua Amadiro. Egoïstement, j'aurais tout intérêt à laisser l'enquête se poursuivre. Elle coûte à Fastolfe son soutien dans la population et des voix chez les législateurs. Plus elle durera, plus je serai certain de ma victoire, mais cette enquête fait du tort à Aurora et je ne voudrais pas augmenter ma certitude au détriment de ma planète. Je suggère — avec tout le respect que je vous dois — que vous fassiez cesser l'enquête, monsieur le Président, et que vous persuadiez le Dr Fastolfe de se soumettre tout de suite, de bonne grâce, à ce qu'il sera obligé d'accepter à un prix beaucoup plus élevé.

— Je reconnais que j'ai autorisé le Dr Fastolfe à

faire procéder à ces investigations et que ce n'était peut-être pas la sagesse. Je dis bien *peut-être*. J'avoue que je suis tenté d'y mettre fin. Et cependant le Terrien (il feignait d'ignorer la présence de Baley dans la pièce) est déjà ici depuis quelque temps...

Le Président s'interrompit, comme pour donner à Fastolfe l'occasion de le confirmer :

— C'est le troisième jour de son enquête, monsieur le Président.

— Dans ce cas, et avant d'y mettre fin, il serait juste, je crois, de demander s'il a déjà découvert des indices importants.

Il s'interrompit encore une fois. Fastolfe jeta un rapide coup d'œil à Baley et fit un petit geste de la main pour l'inviter à parler.

— Je ne souhaite pas, monsieur le Président, dit Baley d'une voix posée, me permettre des observations si je n'en suis pas prié. Est-ce qu'une question m'est posée ?

Le Président fronça les sourcils. Sans regarder Baley, il déclara :

— Je la pose. Je demande à Mr Baley, de la Terre, s'il a découvert des choses importantes.

Baley respira profondément. C'était son tour.

76

— Monsieur le Président, commença-t-il, hier après-midi j'ai interrogé le Dr Amadiro, qui m'a apporté son concours de bonne grâce et m'a été très utile. Quand mon personnel et moi sommes partis...

— Votre personnel ? interrompit le Président.

— J'étais accompagné par deux robots, durant toutes les phases de mon enquête, monsieur le Président.

— Des robots appartenant au Dr Fastolfe ? demanda

Amadiro. Je tiens à ce que ce soit précisé pour la forme.

— Pour la forme, oui, répondit Baley. L'un d'eux est Daneel Olivaw, un robot humaniforme, et l'autre Giskard Reventlov, un robot non humaniforme, plus ancien.

— Merci, murmura le Président. Continuez.

— Quand nous avons quitté l'enceinte de l'Institut, nous avons constaté que notre aéroglisseur avait été saboté.

— Saboté? s'exclama le Président avec un sursaut. Par qui?

— Nous ne savons pas, mais cela s'est fait dans l'enceinte de l'Institut. Nous étions là sur invitation, le personnel de l'Institut savait donc que nous viendrions. De plus, personne d'autre n'aurait pu être là sans invitation et à l'insu du personnel de l'Institut. Si la chose était concevable, il faudrait en conclure que le sabotage n'a pu être commis que par quelqu'un du personnel de l'Institut, ce qui est inconcevable, à moins que ce ne fût sur l'ordre du Dr Amadiro en personne, ce qui est tout aussi inconcevable.

— Vous m'avez l'air de beaucoup concevoir l'inconcevable, dit Amadiro. Est-ce que l'aéroglisseur a été examiné par un technicien qualifié, pour confirmer qu'il a réellement été saboté? Ne pourrait-il s'agir d'une panne accidentelle?

— Non, monsieur, il n'a pas été examiné, répondit Baley, mais Giskard, qui est qualifié pour conduire un aéroglisseur, et qui a très fréquemment conduit celui-ci, affirme qu'il a été saboté.

— Et il fait partie du personnel du Dr Fastolfe, il est programmé par lui et il reçoit quotidiennement ses ordres de lui, fit observer Amadiro.

— Suggérez-vous...? demanda Fastolfe.

Amadiro leva benoîtement une main.

— Je ne suggère rien. Je fais une simple déclaration... pour les annales.

Le Président s'agita un peu.

— Si Mr Baley, de la Terre, veut bien continuer.

— Quand l'aéroglisseur est tombé en panne, reprit Baley, nous étions poursuivis.

— Poursuivis ?

— Par d'autres robots. Ils sont arrivés mais, à ce moment, mes robots étaient partis.

— Un instant, dit Amadiro. Dans quel état étiez-vous à ce moment, monsieur Baley ?

— Je n'allais pas parfaitement bien.

— Pas parfaitement bien ? Vous êtes un Terrien, vous n'êtes pas habitué à la vie en dehors du décor artificiel de vos Villes. Vous êtes mal à l'aise à l'Extérieur, n'est-ce pas, monsieur Baley ?

— En effet.

— Et il y avait hier soir un violent orage, comme le Président s'en souvient certainement. Ne serait-il pas plus juste de dire que vous alliez très mal ? Que vous étiez à demi inconscient, sinon mourant ?

— Je me sentais très mal, c'est vrai, avoua Baley.

— Alors comment se fait-il que vos robots étaient partis ? demanda le Président sur un ton sec. N'auraient-ils pas dû rester auprès de vous, si vous étiez malade ?

— Je leur ai ordonné de partir, monsieur le Président.

— Pourquoi ?

— J'ai pensé que c'était préférable et je l'expliquerai si l'on me permet de continuer.

— Je vous écoute.

— Nous étions effectivement poursuivis, car les robots qui nous suivaient sont arrivés peu après le départ des miens. Les poursuivants m'ont demandé où étaient mes robots et j'ai répondu que je les avais renvoyés. C'est ensuite seulement qu'ils m'ont demandé si j'étais malade. J'ai répliqué que je ne l'étais pas et ils m'ont laissé, afin de repartir à la recherche de mes robots.

— A la recherche de Daneel et de Giskard ?

— Oui, monsieur le Président. Il était évident qu'ils avaient reçu des ordres stricts de s'emparer des robots.

— Comment cela « évident » ?

— J'étais manifestement malade, mais ils ont demandé où étaient les robots, avant de s'inquiéter de moi. Et puis, plus tard, ils m'ont abandonné à mon malaise pour aller chercher ces robots. Ils avaient dû recevoir des instructions extrêmement fortes de s'emparer d'eux, sinon il ne leur aurait pas été possible de négliger un être humain visiblement malade. En fait, j'avais prévu cette recherche, et c'est pour cela que je les avais renvoyés. J'estimais qu'il était impératif d'empêcher qu'ils tombent entre des mains non autorisées.

— Monsieur le Président, intervint Amadiro, puis-je continuer l'interrogatoire de Mr Baley sur ce point, afin de montrer ce que vaut sa déclaration ?

— Vous le pouvez.

— Monsieur Baley, vous étiez seul, après le départ de vos robots, n'est-ce pas ?

— Oui, monsieur.

— Par conséquent, vous n'avez aucun enregistrement des événements ? Vous n'êtes pas équipé vous-même pour les enregistrer ? Vous n'aviez pas de système enregistreur ?

— Non aux trois questions, monsieur.

— Et vous étiez malade ?

— Oui, monsieur.

— Affolé ? Trop malade pour bien vous souvenir ?

— Non, je me souviens parfaitement.

— Vous le croyez, mais vous avez fort bien pu délirer, avoir une hallucination. Dans ces conditions, il apparaîtrait que les paroles des robots, et même leur venue, sont choses extrêmement douteuses.

Le Président dit, d'un air songeur :

— Je suis d'accord. Monsieur Baley, en supposant que ce dont vous vous rappelez, ou croyez vous rappeler, soit exact, comment interprétez-vous les événements que vous venez de révéler ?

— J'hésite à faire part de mes pensées à ce sujet,

monsieur le Président, de crainte de diffamer le très estimable Dr Amadiro.

— Comme vous parlez à ma demande et que vos réflexions ne franchiront pas les limites de cette pièce (le Président regarda autour de lui; les niches murales étaient vides de tout robot), il ne peut être question de diffamation à moins que vous me paraissiez parler avec de mauvaises intentions.

— Dans ce cas, monsieur le Président, j'ai pensé qu'il était possible que le Dr Amadiro m'ait retenu dans son bureau plus qu'il n'était nécessaire, afin que l'on ait le temps d'endommager mon véhicule, et qu'il m'ait aussi retenu pour que je parte alors que l'orage avait déjà éclaté, ainsi assuré que je serais malade pendant le trajet. Il a longuement étudié les conditions sociales de la Terre, il me l'a dit lui-même à plusieurs reprises, et il savait donc quelle pourrait être ma réaction à l'orage. Il m'a semblé que son projet était d'envoyer ses robots à notre poursuite pour que, une fois qu'ils auraient rattrapé notre aéroglisseur en panne, ils nous ramènent tous à l'Institut sous prétexte de me soigner pour mon malaise, mais en réalité pour mettre la main sur les robots du Dr Fastolfe.

Amadiro rit tout bas.

— Et quel mobile aurais-je eu pour tout cela ? Vous voyez, monsieur le Président, que ce n'est là qu'un échafaudage de suppositions, que n'importe quelle cour de justice du globe considérerait comme de la diffamation.

Le Président dit sévèrement :

— Monsieur Baley, avez-vous quelque élément pour étayer ces hypothèses ?

— Un raisonnement, monsieur le Président.

Le Président se leva, ce qui lui fit aussitôt perdre de sa prestance.

— Permettez-moi de faire quelques pas, afin que je réfléchisse à ce que je viens d'entendre. Je serai bientôt de retour.

Il partit pour la Personnelle.

Fastolfe se pencha vers Baley, qui l'imita. (Amadiro les observait avec une indifférence nonchalante, comme si tout cela lui importait peu.)

— N'avez-vous rien de mieux à dire ? chuchota Fastolfe.

— Je le crois, si on me le permet, mais le Président n'a pas l'air très bien disposé à mon égard.

— Il ne l'est pas. Jusqu'à présent, vous n'avez réussi qu'à tout aggraver et je ne serais pas surpris si, en revenant, il mettait fin à cette conférence.

Baley soupira et contempla ses souliers.

77

Baley regardait encore ses chaussures quand le Président revint, se rassit, et tourna vers le Terrien une figure dure et plutôt hostile.

— Monsieur Baley, de la Terre ?

— Oui, monsieur le Président ?

— Je pense que vous me faites perdre mon temps, mais je ne veux pas qu'il soit dit que je n'ai pas accordé le droit de parole aux deux parties. Pouvez-vous me donner un mobile qui expliquerait que le Dr Amadiro se soit livré aux actes dont vous l'accusez ?

— Monsieur le Président, dit Baley en désespoir de cause, il y a certainement un mobile, un excellent mobile. Il est fondé sur le fait que le projet du Dr Amadiro, pour coloniser la Galaxie, sera irréalisable si son Institut et lui ne peuvent produire des robots humaniformes. Jusqu'à présent, ils n'en ont produit aucun et ne peuvent en produire aucun. Demandez-lui s'il consent à ce qu'une commission législative visite et examine son Institut, pour voir s'il y a une indication de la production ou d'un avant-projet d'un robot humaniforme fonctionnel. S'il persiste à affirmer que des humaniformes réussis sont sur les chaînes de montage, ou encore au bureau d'études, ou même simplement sous forme de formule théorique, et s'il accepte de le prouver devant une commission qualifiée, je ne dirai rien de plus et je reconnaîtrai que mon enquête n'a abouti à rien.

Baley retint sa respiration.

Le Président regarda Amadiro, qui avait perdu le sourire.

— Je veux bien admettre que nous n'avons pas de robots humaniformes en perspective, pour le moment.

— Alors je vais continuer, reprit Baley après avoir laissé échapper un soupir de soulagement. Le Dr Amadiro peut, naturellement, trouver tous les renseignements dont il a besoin pour son projet, s'il se tourne vers le Dr Fastolfe, qui a toutes les données dans sa tête, mais le Dr Fastolfe refuse toute collaboration à ce sujet.

— Certainement, marmonna Fastolfe. En aucune circonstance, je ne collaborerai.

— Mais, monsieur le Président, continua Baley sans relever ce propos, le Dr Fastolfe n'est pas le seul individu qui détienne le secret du dessin, de la conception et de la construction des robots humaniformes.

— Non ? s'exclama le Président. Qui d'autre le détiendrait ? Le Dr Fastolfe lui-même est stupéfait par votre déclaration, monsieur Baley.

— Je suis véritablement abasourdi, déclara Fastolfe. A ma connaissance, je suis certainement le seul. Je ne comprends pas du tout ce que veut dire monsieur Baley.

Amadiro insinua, avec un petit sourire sarcastique :

— Je parie du reste que monsieur Baley n'en sait rien non plus.

Baley se sentit acculé. Son regard alla de l'un à l'autre et il vit qu'aucun, pas un, n'était de son côté.

— N'est-il pas vrai que n'importe quel robot humaniforme doit le savoir ? Pas consciemment, sans doute, pas d'une telle façon qu'il pourrait donner des explications ou des instructions en la matière, mais l'information doit immanquablement être en lui, n'est-ce pas ? Si un robot humaniforme était correctement interrogé, ses réponses et ses réactions révéleraient son dessin et sa construction. Eventuellement, avec assez de temps, et avec des questions bien formulées, un robot humaniforme donnerait les renseignements permettant de concevoir d'autres robots humaniformes... En un mot, aucune mécanique ne peut être d'une conception secrète, si la mécanique elle-même est disponible pour une étude suffisamment poussée.

Fastolfe parut suffoqué.

— Je comprends ce que vous voulez dire, monsieur Baley, et vous avez raison. Je n'y avais jamais pensé !

— Avec tout le respect que je vous dois, docteur Fastolfe, dit Baley, je dois vous dire que, comme tous les Aurorains, vous êtes d'un orgueil singulièrement individualiste. Vous êtes tellement satisfait d'être le meilleur roboticien, le seul roboticien capable de créer des humaniformes, que vous refusez l'évidence.

Le Président se détendit et se permit un sourire.

— Là, il vous a eu, mon cher docteur. Je me suis demandé pourquoi vous vous entêtiez à affirmer que vous étiez le seul à posséder les connaissances suffisantes pour détruire Jander, alors que cela causait un tort si considérable à votre situation politique. Je vois clairement, maintenant, que vous préfériez sacrifier votre carrière politique plutôt que de renoncer à vos prérogatives.

Fastolfe se hérissa. Quant à Amadiro, il fronça les sourcils et grommela :

— Est-ce que ça a un rapport avec le problème qui nous occupe ?

— Oui, indiscutablement, répliqua Baley en sentant revenir son assurance. Vous ne pouvez pas soustraire directement des informations au Dr Fastolfe. Vous ne pouvez pas ordonner à vos robots de lui faire du mal, de le torturer, par exemple, pour lui faire révéler ses

216

secrets. Vous ne pouvez lui faire du mal vous-même, puisque le Dr Fastolfe est sous la protection de son personnel. Cependant, vous pouvez isoler un robot et le faire enlever par d'autres robots, tandis que l'être humain présent est trop malade pour prendre les mesures nécessaires destinées à vous en empêcher. Tous les événements d'hier après-midi faisaient partie d'un plan improvisé rapidement pour mettre la main sur Daneel, docteur Amadiro. Vous avez sauté sur l'occasion dès que j'ai insisté pour aller vous voir à l'Institut. Si je n'avais pas renvoyé mes robots, si je n'avais pas été tout juste assez lucide pour affirmer que j'allais très bien, si je n'avais pas envoyé vos robots dans une mauvaise direction, vous vous seriez emparé de lui. Et, éventuellement, vous auriez découvert le secret des robots humaniformes, grâce à une longue analyse détaillée du comportement et des réactions de Daneel.

— Monsieur le Président, je proteste! s'exclama Amadiro. Je n'ai jamais entendu proférer d'aussi odieuses diffamations. Tout cela est né des fantasmes d'un malade. Nous ne savons pas, et nous ne saurons peut-être jamais, si l'aéroglisseur a réellement été saboté et, s'il l'a été, par qui, ni si des robots ont réellement suivi ce véhicule, ont réellement parlé à monsieur Baley ou non. Il ne fait qu'empiler les unes sur les autres des hypothèses et des insinuations, le tout fondé sur son douteux témoignage au sujet d'événements dont il a été l'unique témoin, et cela à un moment où il était à moitié fou de terreur et souffrait probablement d'hallucinations. Absolument rien de tout cela ne serait recevable dans un tribunal.

— Nous ne sommes pas dans un tribunal, docteur Amadiro, dit le Président, et mon devoir est d'écouter tout ce qui se rapporte à la question qui fait l'objet de ces débats.

— Cela ne s'y rapporte pas, monsieur le Président! Ce n'est qu'une toile d'araignée.

— Pourtant, cela m'a l'air de se tenir. Je ne puis

surprendre monsieur Baley en défaut flagrant de logique. Si l'on admet ce qu'il prétend avoir vécu, alors ses conclusions sont plutôt raisonnables. Niez-vous tout en bloc, docteur Amadiro ? Le sabotage de l'aéroglisseur, la poursuite, l'intention de vous approprier le robot humaniforme ?

— Absolument ! Je le nie absolument ! Rien de tout cela n'est vrai ! s'écria Amadiro. (Il y avait assez longtemps qu'on ne le voyait plus sourire.) Le Terrien peut produire un enregistrement de toute notre conversation et sans aucun doute il fera observer que je l'ai retenu en parlant d'abondance, en l'invitant à visiter l'Institut, en l'invitant à dîner, mais tout cela s'interprète aussi comme une intention de faire le maximum pour me montrer courtois et hospitalier. Je me suis laissé égarer par une certaine sympathie que j'éprouve pour les Terriens, sans doute, mais c'est tout. Je nie toutes ses insinuations et ses fausses conclusions et rien de ce qu'il dit ne peut être soutenu contre mes dénégations. Ma réputation est telle que de simples spéculations ne persuaderont jamais personne que je suis le genre de comploteur sournois que prétend ce Terrien.

Le Président se gratta le menton, d'un air songeur.

— Il est certain que je ne vais pas vous accuser en me fondant sur ce que le Terrien a dit jusqu'ici... Monsieur Baley, si c'est tout ce que vous avez à dire, c'est intéressant mais insuffisant. Vous n'avez pas de révélations plus concluantes, plus substantielles ? Je vous avertis que, si c'est tout, je vous ai maintenant accordé le temps que je pouvais me permettre de vous accorder.

78

— Il n'y a plus qu'un sujet que je voudrais aborder, monsieur le Président, dit Baley. Vous avez sans doute entendu parler de Gladia Delamarre, ou Gladia Solaria. Elle-même se nomme simplement Gladia.

— Oui, monsieur Baley, répondit le Président avec un peu d'agacement dans la voix. J'ai entendu parler d'elle. Nous avons vu cette émission où vous et elle teniez des rôles si remarquables.

— Elle a été en relation avec ce robot, Jander, pendant plusieurs mois. En fait, vers la fin, il était son mari.

L'expression méfiante du Président se changea en fureur.

— Son *quoi* ?

— Son mari, monsieur le Président.

Fastolfe, qui s'était à moitié levé, retomba dans son fauteuil, l'air perturbé.

— C'est illégal, déclara le Président d'une voix dure. Pire, c'est ridicule. Un robot ne pourrait l'imprégner. Il ne pourrait y avoir d'enfants. Le statut de mari ou de femme n'est jamais accordé sans une déclaration quant à la volonté d'avoir un enfant si l'autorisation est donnée. Même un Terrien, il me semble, devrait le savoir.

— Je le sais, monsieur le Président. Et Gladia aussi, j'en suis certain. Elle n'employait pas le mot « mari » dans son sens légal, mais dans un sens émotionnel. Elle considérait Jander comme l'équivalent d'un mari. Elle éprouvait pour lui les sentiments d'une femme pour son mari.

Le Président se tourna vers Fastolfe.

— Etiez-vous au courant de cela, docteur Fastolfe ? C'était un robot de votre personnel.

Fastolfe, manifestement embarrassé, bredouilla :

— Je savais qu'elle avait de l'affection pour lui. Je la

soupçonnais de se servir de lui sexuellement. Mais j'ignorais tout de cette comédie illégale, avant que monsieur Baley n'en parle.

— Elle est solarienne, dit Baley. Son concept du « mari » n'est pas aurorain.

— C'est évident ! s'exclama le Président.

— Mais elle avait suffisamment le sens des réalités pour garder cela pour elle, monsieur le Président. Elle n'a jamais parlé de cette comédie, comme l'appelle le Dr Fastolfe, à des Aurorains. Elle m'a avoué cela avant-hier, parce qu'elle voulait m'exhorter à poursuivre une enquête qui a beaucoup d'importance pour elle. Malgré tout, je pense qu'elle n'aurait pas employé ce mot si elle n'avait pas su que je suis Terrien, et capable par conséquent de comprendre le sens qu'elle lui donnait, et non le sens aurorain.

— Bien, dit le Président, je lui accorde au moins un minimum de bon sens, pour une Solarienne. Etait-ce là cet autre sujet que vous vouliez aborder ?

— Oui, monsieur le Président.

— Dans ce cas, il n'a aucun rapport avec l'affaire et ne peut jouer aucun rôle dans nos délibérations.

— Monsieur le Président, il y a encore une question, une seule, que je dois poser. Une question. Quelques mots et j'en aurai fini.

Baley parla sur le ton le plus persuasif possible, car tout dépendait de cela.

Le Président hésita.

— Accordé. Une dernière question.

— Merci, monsieur le Président.

Baley avait envie de la hurler, sa question, mais il se retint. Il n'éleva même pas la voix. Il ne montra pas du doigt. Tout en dépendait. Tout avait abouti à cela et pourtant il se rappela l'avertissement de Fastolfe et demanda d'un air presque indifférent :

— Comment se fait-il que le Dr Amadiro savait que Jander était le mari de Gladia ?

— Quoi ? s'écria le Président en haussant ses sourcils broussailleux. Qui a dit qu'il était au courant ?

Comme on lui posait une question directe, Baley put continuer :

— Demandez-le lui, monsieur le Président.

Il fit simplement un signe de tête pour désigner Amadiro, qui s'était levé et le contemplait avec une horreur évidente.

79

Baley répéta, tout doucement, pour ne pas trop détourner d'Amadiro l'attention générale :

— Demandez-le lui, monsieur le Président. Il paraît très troublé.

— Qu'est-ce que ça signifie, docteur Amadiro ? Saviez-vous que ce robot était le prétendu mari de la Solarienne ?

Amadiro bafouilla, puis il pinça les lèvres un moment et se reprit. La pâleur qui avait envahi sa figure avait disparu, laissant la place à une sombre rougeur.

— Je ne comprends rien à cette accusation grotesque, monsieur le Président. Je ne sais pas du tout ce que cela signifie.

— Me permettez-vous de l'expliquer, monsieur le Président ? Très brièvement ? demanda Baley.

(N'allait-on pas l'en empêcher ?)

— Je vous le conseille, répliqua sévèrement le Président. Si vous avez une explication, je serais curieux de l'entendre.

— Monsieur le Président, j'ai eu une longue conversation avec le Dr Amadiro, hier après-midi. Comme son intention était de me retenir jusqu'à ce que l'orage éclate, il a parlé plus longuement qu'il ne le prévoyait et, apparemment, plus imprudemment. Quand il a été question de Gladia, il a parlé de Jander, négligemment, comme de son mari. J'aimerais savoir comment il avait connaissance de cela.

— Est-ce vrai, docteur Amadiro? demanda le Président.

Amadiro était toujours debout, presque comme un accusé devant ses juges.

— Que ce soit vrai ou non n'a aucun rapport avec l'affaire dont nous délibérons, marmonna-t-il.

— Peut-être pas, mais je suis stupéfait par votre réaction à cette question, quand elle a été posée. Il me semble qu'il y a une signification à cela, que monsieur Baley et vous comprenez tous deux, mais qui m'échappe. J'aimerais comprendre aussi, par conséquent. Etiez-vous ou n'étiez-vous pas au courant de ces impossibles rapports entre Jander et la Solarienne?

— Je n'avais aucun moyen de le savoir, répondit Amadiro d'une voix étranglée.

— Ce n'est pas une réponse, riposta le Président. Vous jouez sur les mots, je vous demande un souvenir et vous me proposez un jugement. Avez-vous ou n'avez-vous pas fait la déclaration qui vous est attribuée?

— Avant qu'il réponde, intervint Baley, plus sûr de lui maintenant que le Président était motivé par la morale bafouée, il est juste que je rappelle au Dr Amadiro que Giskard, un robot également présent pendant notre entrevue peut, si on le lui demande, répéter toute la conversation, mot pour mot, en employant la voix et les intonations de chaque interlocuteur. En un mot, la conversation a été enregistrée.

La colère d'Amadiro éclata.

— Monsieur le Président, ce robot, Giskard, a été conçu, construit et programmé par le Dr Fastolfe, qui s'annonce lui-même comme le meilleur roboticien de l'Univers et qui est aigrement opposé à moi. Pouvez-vous vous fier à un enregistrement offert par un tel robot?

— Peut-être devriez-vous écouter l'enregistrement et en juger par vous-même, monsieur le Président? hasarda Baley.

— Je le devrais sans doute. Je ne suis pas ici, Amadiro, pour me faire dicter mes jugements et décisions. Mais laissons cela de côté pour le moment. Sans tenir compte des enregistrements, Amadiro, souhaitez-vous déclarer officiellement que vous ne saviez pas que la Solarienne considérait son robot comme son mari et que vous n'avez jamais fait allusion à lui comme à un mari ? Et tâchez de ne pas oublier, comme vous devriez le savoir tous deux en votre qualité de législateurs, que bien qu'aucun robot ne soit présent, cette conversation tout entière est enregistrée par mon appareil personnel, dit le Président en tapotant sa poche. Alors répondez, Amadiro. Oui ou non ?

Amadiro répondit, avec quelque chose de désespéré dans l'expression :

— Monsieur le Président, très sincèrement, je suis incapable de me rappeler ce que j'ai dit au cours d'une conversation à bâtons rompus. Si j'ai prononcé ce mot, et je ne l'avoue pas, ce peut être à la suite d'un vague souvenir, d'une autre conversation à bâtons rompus avec une autre personne, qui aurait observé que Gladia avait l'air si amoureuse de son robot qu'on l'eût pris pour son mari.

— Et avec qui avez-vous eu cette autre conversation à bâtons rompus ? Qui vous a dit cela ? demanda le Président.

— Là, sur le moment, je ne saurais le dire.

— Monsieur le Président, intervint de nouveau Baley, si le Dr Amadiro avait l'obligeance de nous faire une liste de toutes les personnes qui *auraient pu* employer ce mot, au cours d'une conversation avec lui, nous aurions la possibilité de les interroger à tour de rôle, pour voir si l'une d'elles se souvient d'avoir fait cette réflexion.

— J'espère, monsieur le Président, protesta Amadiro, que vous tiendrez compte de l'effet qu'un interrogatoire de ce genre ferait sur le moral de l'Institut.

— J'espère que vous en tiendrez compte aussi, Amadiro, et que vous allez nous donner une réponse plus satisfaisante, afin que nous ne soyons pas contraints à cette extrémité.

— Un instant, monsieur le Président, dit Baley aussi obséquieusement qu'il le put. Il reste encore une question.

— Encore ? Encore une ? (Le Président regarda Baley sans aucune aménité.) Laquelle ?

— Pourquoi le Dr Amadiro se débat-il tellement pour éviter de reconnaître qu'il était au courant des rapports de Jander et de Gladia ? Il dit que c'est sans lien avec l'affaire. Dans ce cas, pourquoi ne pas reconnaître qu'il était au courant, et qu'il n'en soit plus question ? Moi, je dis qu'il y a un lien et que le Dr Amadiro sait que son aveu pourrait être utilisé pour démontrer une activité criminelle de sa part.

— Cette expression est intolérable, tonna Amadiro, et j'exige des excuses immédiates !

Fastolfe eut un mince sourire et Baley pinça fortement les lèvres. Il avait poussé Amadiro à bout.

Le Président rougit d'une manière presque alarmante et s'emporta :

— Vous exigez ! Vous *exigez* ? De qui exigez-vous ? Je suis le Président. J'écoute tous les points de vue avant de prendre une décision et de suggérer ce qui doit être fait à mon avis. Laissez-moi entendre ce que le Terrien a à dire sur son interprétation de vos actes. S'il vous diffame, il sera puni, soyez-en assuré, et vous pouvez être certain que je m'en tiendrai à la lettre de la Loi. Mais vous, Amadiro, vous n'avez rien à exiger de moi. Parlez, Terrien. Dites ce que vous avez à dire, mais faites très, très attention.

— Merci, monsieur le Président. En réalité, il n'y a qu'un Aurorain à qui Gladia a révélé le secret de ses rapports avec Jander...

Le Président interrompit :

— Eh bien, qui est-ce ? Ne me jouez pas un de vos tours en hypervision !

— Je n'ai rien à déclarer que de très simple, monsieur le Président. Ce seul Aurorain est, bien entendu,

Jander lui-même. C'était peut-être un robot, mais un habitant d'Aurora, et on pourrait le considérer comme un Aurorain. Gladia a sûrement dû, dans sa passion, l'appeler « mon mari ». Comme le Dr Amadiro a admis qu'il avait pu entendre cela d'une personne qui lui aurait parlé des rapports conjugaux de Jander avec Gladia, n'est-il pas logique de supposer qu'il a entendu cela de la bouche de Jander ? Le Dr Amadiro accepterait-il, tout de suite, d'affirmer pour la bonne forme qu'il n'a jamais parlé à Jander pendant la période où Jander faisait partie du personnel de Gladia ?

Deux fois, Amadiro ouvrit la bouche et la referma, sans proférer le moindre son.

— Eh bien ? demanda le Président. Avez-vous parlé à Jander pendant cette période, Amadiro ?

Toujours pas de réponse. Baley murmura :

— S'il lui a parlé, cela a un rapport très net avec l'affaire qui fait l'objet de cette réunion.

— Je commence à le penser, monsieur Baley. Eh bien, Amadiro, encore une fois... Oui ou non ?

Et Amadiro explosa :

— Quelle preuve a ce Terrien contre moi ? Est-ce qu'il a un enregistrement d'une conversation que j'aurais eue avec Jander ? Est-ce qu'il a des témoins prêts à dire qu'ils m'ont vu avec Jander ? Est-ce qu'il a quelque preuve, en dehors de toutes ses élucubrations ?

Le Président se tourna vers Baley, qui dit :

— Monsieur le Président, si je n'ai aucune preuve, alors le Dr Amadiro ne devrait pas hésiter à nier, bien fort et pour la bonne forme, tout contact avec Jander... mais il ne le fait pas. Il se trouve qu'au cours de cette enquête j'ai parlé au Dr Vasilia Aliena, la fille du Dr Fastolfe. Je me suis également entretenu avec un jeune Aurorain, Santirix Gremionis. Dans les enregistrements de ces deux entrevues, on verra que le Dr Vasilia a encouragé Gremionis à faire la cour à Gladia. Vous pouvez interroger le Dr Vasilia sur la raison qu'elle avait de le faire, et si cette action ne lui avait pas été suggérée par le Dr Amadiro. Il apparaît aussi que Gremionis avait l'habitude de faire de longues promenades avec Gladia, promenades qui leur plaisaient à tous deux, et où ils n'étaient pas accompagnés par le robot Jander. Vous pouvez le vérifier si vous le désirez, monsieur le Président.

— Je le ferai peut-être, mais si cela est vrai, qu'est-ce que ça démontre ?

— J'ai dit que, en dehors du Dr Fastolfe, le secret du robot humaniforme pouvait être obtenu uniquement de Daneel lui-même. Avant la mort de Jander il pouvait l'être, tout aussi facilement, de Jander. Alors que Daneel faisait partie du personnel du Dr Fastolfe et n'était pas facile à atteindre, Jander était dans l'établissement de Gladia qui, n'étant pas aussi avisée que le Dr Fastolfe, voyait moins que lui la nécessité de protéger un robot.

» N'est-il pas vraisemblable que le Dr Amadiro a profité des absences périodiques de Gladia, quand elle se promenait avec Gremionis, pour se mettre en rapport et s'entretenir avec Jander, peut-être par vision holographique, pour étudier ses réactions, le soumettre à divers tests, et puis effacer toute trace de ces entretiens pour que Jander ne puisse jamais en parler à Gladia ? Il est possible qu'il ait été bien près de découvrir ce qu'il voulait savoir, avant que sa tentative échoue quand Jander a cessé de fonctionner. Il se serait alors intéressé à Daneel. Il pensait qu'il ne lui restait plus qu'à faire quelques tests et observations. Il aura donc tendu son piège hier soir, comme je l'ai exposé plus tôt dans mon... mon témoignage.

Le Président murmura :

— Maintenant, tout se tient. Je suis presque forcé de vous croire.

— Le point final, et je n'aurai vraiment plus rien à dire, reprit Baley. En examinant et en testant Jander, il est tout à fait possible que le Dr Amadiro ait accidentellement, et sans la moindre intention, immobilisé Jander et commis ainsi le roboticide.

Amadiro, fou de rage, hurla :

226

— Non! Jamais! Rien de ce que j'ai fait à ce robot n'a pu l'immobiliser!

Fastolfe intervint :

— Je suis d'accord, monsieur le Président. Moi non plus, je ne crois pas que le Dr Amadiro a bloqué Jander. Cependant, monsieur le Président, ce que vient de dire à l'instant le Dr Amadiro m'apparaît comme l'aveu implicite qu'il a bien travaillé avec Jander, et que l'analyse de monsieur Baley de la situation est essentiellement exacte.

Le Président hocha la tête.

— Je suis contraint d'en convenir, docteur Fastolfe... Docteur Amadiro, vous insistez pour nier tout cela en bloc, officiellement, et cela peut m'obliger à ordonner un complément d'enquête. Je pense, à ce stade, que cela risque fort probablement de se retourner contre vous. Je vous conseille de ne pas m'y forcer, de ne pas affaiblir encore votre position dans la Législature et, par la même occasion, d'affaiblir celle de la politique suivie par Aurora.

» A mon avis, avant cette regrettable affaire de l'immobilisation de Jander, le Dr Fastolfe bénéficiait d'une majorité dans la Législature — pas très grande, je veux bien — pour ce qui était de la question de la colonisation de la Galaxie. Vous auriez pu attirer suffisamment de législateurs dans votre camp, en poursuivant l'affaire de la prétendue responsabilité du Dr Fastolfe dans l'immobilisation de Jander et gagner ainsi la majorité. Mais maintenant le Dr Fastolfe, s'il le souhaite, peut inverser la situation en vous accusant, vous, de l'immobilisation et d'avoir, de plus, cherché à accumuler de fausses preuves, pour étayer vos accusations, et vous perdriez.

» Si je n'interviens pas, il est fort possible que vous, docteur Amadiro, et vous, docteur Fastolfe, animés par votre entêtement, ou même votre vindicte, rassembliez tous deux vos forces et vous accusiez mutuellement de toutes sortes de méfaits. Nos forces politiques, ainsi que notre opinion publique, seraient abominablement divisées, sans aucun espoir, au très grand dommage de notre planète.

» Je crois que dans ces conditions la victoire de Fastolfe, tout en étant inévitable, serait extrêmement coûteuse. Mon devoir de Président serait alors d'influencer d'abord le scrutin en sa faveur et ensuite de faire pression sur vous et votre faction, docteur Amadiro, pour accepter la victoire de Fastolfe d'aussi bonne grâce que possible, et de l'accepter sans plus tarder, pour le bien d'Aurora.

— Je ne cherche pas une victoire écrasante, monsieur le Président, dit Fastolfe. Je propose encore une fois un compromis, par lequel Aurora, les autres mondes spatiens et aussi la Terre seraient également libres de s'établir partout dans la Galaxie. En échange, je me ferais un plaisir de rejoindre l'Institut de Robotique, de mettre ma connaissance des robots humaniformes à sa disposition et ainsi de faciliter ses projets, à condition qu'il renonce officiellement à tout projet de représailles contre la Terre, à quelque moment que ce soit dans l'avenir. Je propose de rédiger cela sous forme de traité dont nous-mêmes et la Terre serions les signataires.

Le Président approuva.

— C'est une suggestion fort sage et digne d'un homme d'Etat. Puis-je avoir votre accord sur cela, docteur Amadiro ?

Amadiro se rassit. Il était l'image même de la défaite.

— Je n'ai recherché ni le pouvoir personnel ni la satisfaction de la victoire. Je ne voulais que le bien d'Aurora, ce que je sais être son bien, et je suis convaincu que ce projet du Dr Fastolfe signifiera la fin d'Aurora, un jour ou l'autre. Cependant, je reconnais qu'en ce moment je ne peux rien contre ce qu'a fait ce Terrien et je suis forcé d'accepter la suggestion du Dr Fastolfe... tout en demandant l'autorisation de m'adresser à la Législature à ce sujet, et d'exposer, pour la bonne forme, mes craintes quant aux conséquences.

— Nous le permettrons, naturellement, répondit le Président. Et si je puis vous donner un conseil, docteur Fastolfe, vous ferez en sorte que ce Terrien quitte notre planète le plus vite possible. Il vous a aidé à imposer votre point de vue, mais cette victoire ne sera pas très populaire si les Aurorains ont trop de temps pour y réfléchir et y voir une victoire des Terriens sur les Aurorains.

— Vous avez parfaitement raison, monsieur le Président, et monsieur Baley partira très vite, avec mes remerciements et, j'espère, les vôtres aussi.

— Ma foi, dit le Président sans trop de bonne grâce, puisque son ingéniosité nous a épargné un douloureux conflit politique, il a droit à mes remerciements... Je vous remercie, monsieur Baley.

XIX

Baley

80

Baley les regarda partir, de loin. Le Dr Amadiro et le Président étaient arrivés ensemble, mais ils s'en allèrent séparément.

Fastolfe revint, après les avoir accompagnés, et ne cacha pas son immense soulagement.

— Venez, Baley, dit-il, vous allez déjeuner avec moi et ensuite, dès que ce sera possible, vous repartirez pour la Terre.

Son personnel robotique était déjà visiblement prévenu et s'activait.

Baley hocha la tête et dit ironiquement :

— Le Président a réussi à me remercier, mais ça lui restait manifestement dans la gorge.

— Vous n'avez aucune idée de l'honneur qu'il vous a fait. Le Président remercie très rarement quelqu'un, mais aussi personne ne remercie jamais le Président. On laisse toujours à la postérité le soin de chanter ses louanges et celui-ci est en fonction, au service du pays, depuis plus de quarante ans. Il est devenu bougon et irritable, comme presque tous les Présidents dans les dernières décennies de leur mandat.

» Cependant, Mr Baley, une fois de plus je vous

remercie moi-même et, par mon intermédiaire, Aurora vous remerciera. Vous vivrez assez longtemps, même avec votre courte vie, pour voir les Terriens conquérir l'espace et nous vous aiderons avec notre technologie.

» Comment vous avez réussi à résoudre notre problème en deux jours et demi — même moins —, je ne le comprendrai jamais, Baley. Vous avez véritablement du génie... Mais venez, vous voulez certainement vous laver et vous reposer un peu. Je sais que moi-même j'en ai besoin.

Pour la première fois depuis l'arrivée du Président, Baley eut le temps de penser à autre chose qu'à sa phrase suivante.

Il ne savait toujours pas quelle était l'idée qui lui était venue par trois fois, d'abord au moment de s'endormir, puis à l'instant de perdre connaissance et enfin dans l'apaisement post-coïtal.

« Il était là avant. »

Cela ne signifiait toujours rien, et pourtant il avait amené le Président à ses vues. Alors, est-ce que c'était significatif, si cela faisait partie d'un mécanisme sans corrélation aucune et qui ne paraissait pas indispensable ? Etait-ce un non-sens ?

Cela continua de l'irriter quand il se mit à table, en vainqueur mais sans le moindre sentiment de victoire. Il avait l'impression que le plus important lui échappait encore.

Et d'abord, est-ce que le Président serait fidèle à sa résolution ? Amadiro avait perdu la bataille mais ne faisait pas du tout l'effet d'un homme prêt à céder. Mais mieux valait lui rendre justice et supposer qu'il pensait sincèrement ce qu'il disait, qu'il n'avait pas été poussé par une vanité personnelle mais par son patriotisme d'Aurorain. Dans ce cas, il ne pourrait pas renoncer.

Baley jugea nécessaire d'en avertir Fastolfe.

— Docteur Fastolfe, je ne crois pas que ce soit fini. Le Dr Amadiro va continuer de lutter pour exclure la Terre.

Fastolfe hocha la tête, alors qu'on leur servait le repas.

— Je n'en doute pas un instant. Je m'y attends. Mais je ne crains rien, tant qu'il ne sera plus question de l'immobilisation de Jander. Cette affaire mise de côté, je suis sûr de pouvoir déjouer les manœuvres d'Amadiro dans la Législature. N'ayez pas peur, Baley, la Terre ne sera pas exclue. Et vous n'avez pas non plus à craindre pour votre personne une vengeance d'Amadiro. Vous allez quitter la planète et retourner chez vous avant le coucher du soleil. Et Daneel vous accompagnera, naturellement. De plus, le rapport que nous enverrons vous assurera, une fois de plus, une intéressante promotion.

— J'ai hâte de partir, avoua Baley, mais j'espère que j'aurai le temps de faire mes adieux. J'aimerais... j'aimerais revoir une dernière fois Gladia, et dire aussi au revoir à Giskard, qui m'a probablement sauvé la vie hier soir.

— Très certainement, Baley. Mais mangez donc, je vous en prie.

Baley mangea, mais du bout des dents et sans rien savourer. Comme la confrontation avec le Président et la victoire qui avait suivi, les plats lui paraissaient singulièrement fades.

Il n'aurait pas dû gagner. Le Président aurait dû le faire taire. Amadiro aurait dû tout nier plus vigoureusement. Sa parole aurait été acceptée contre celle du Terrien, ou son raisonnement.

Mais Fastolfe jubilait.

— Je craignais le pire, dit-il. J'avais peur que cette réunion avec le Président soit prématurée et que rien de ce que vous pourriez dire ne parvienne à sauver la situation. Pourtant, vous vous êtes admirablement débrouillé. En vous écoutant, j'étais éperdu d'admiration. Je m'attendais à tout instant à ce qu'Amadiro exige qu'on préfère sa parole à celle d'un Terrien qui, après tout, était dans un état de demi-folie, sur une planète inconnue, en plein air...

— Sauf le respect que je vous dois, docteur Fastolfe, interrompit assez froidement Baley, je n'étais pas dans un état de demi-folie. Hier soir, c'était exceptionnel et c'est le seul moment où j'ai perdu le contrôle de moi-même. Pendant tout le reste de mon séjour ici, j'ai été parfois mal à l'aise, de temps en temps, mais j'ai toujours conservé toute ma lucidité. (Un peu de la colère qu'il avait réprimée à grand-peine durant la conversation avec le Président s'exprimait maintenant.) C'est seulement pendant l'orage, monsieur, et aussi, naturellement, pendant quelques instants dans le vaisseau spatial, avant l'atterrissage...

Baley ne sut absolument pas de quelle manière la pensée, le souvenir, l'interprétation lui vint, ni à quelle rapidité. L'idée n'existait pas et puis soudain, à l'instant suivant, elle était là, nette dans son esprit, comme elle l'avait toujours été et n'avait besoin que de la brusque déchirure d'un voile, de l'éclatement d'une bulle de savon pour resplendir.

— Par Josaphat! murmura-t-il en abattant son poing sur la table au risque de casser la vaisselle. Par Josaphat!

— Qu'y a-t-il, Baley? s'étonna le Dr Fastolfe.

Baley le regarda fixement et n'entendit la question qu'avec du retard.

— Rien, docteur Fastolfe. Je pensais simplement à l'infernal toupet d'Amadiro, infligeant ces dommages à Jander et essayant ensuite de rejeter le blâme sur vous, s'arrangeant pour me rendre à moitié fou sous l'orage, hier soir, pour ensuite se servir de cela pour faire douter de mes déclarations. J'étais simplement... momentanément... furieux.

— Vous n'avez pas à l'être, Baley. En réalité, il est tout à fait impossible qu'Amadiro ait immobilisé Jander. Je persiste à penser que c'était un accident fortuit... Certes, il est possible que les investigations d'Amadiro aient accru les risques d'un tel accident, mais je préfère ne pas en discuter.

Baley n'entendit cela que d'une oreille. Ce qu'il

venait de dire à Fastolfe était une pure invention et ce que répondait Fastolfe n'avait aucune importance. C'était (comme l'aurait dit le Président) sans rapport avec l'affaire. En fait, tout ce qui s'était passé, tout ce qu'il avait lui-même expliqué, ne comptait pas... Mais cela ne changeait rien.

Sauf un détail... au bout d'un moment.

Par Josaphat! pensa-t-il encore une fois, et il attaqua soudain son repas, avec grand appétit et avec joie.

81

Une fois de plus, Baley traversait la longue pelouse, entre l'établissement de Fastolfe et celui de Gladia. Il allait la voir pour la quatrième fois en trois jours et (son cœur se serra à cette pensée) pour la dernière.

Giskard l'accompagnait, mais à distance, plus préoccupé que jamais par ce qui les entourait. Pourtant, maintenant que le Président était au courant de tout, il n'était sûrement plus nécessaire de s'inquiéter pour la sécurité du Terrien, si jamais il y avait eu une raison. Finalement, c'était Daneel qui avait été en danger. Giskard n'avait probablement pas encore reçu de nouvelles instructions à ce sujet.

Une fois seulement il s'approcha de Baley, et à la demande de ce dernier qui l'appela pour lui demander :

— Giskard, où est Daneel?

Rapidement, Giskard couvrit la distance qui les séparait, comme s'il lui répugnait de parler autrement qu'à voix basse.

— Daneel est en route vers le cosmoport, monsieur, en compagnie de plusieurs autres robots du personnel, pour prendre des dispositions en vue de votre retour sur la Terre. Quand vous serez conduit au cosmoport, il vous y attendra et il sera dans le vaisseau avec vous. Il vous fera ses adieux au moment de vous quitter, une fois sur Terre.

— Voilà une bonne nouvelle. J'apprécie chaque instant passé en compagnie de Daneel. Et toi, Giskard ? Viendras-tu avec nous ?

— Non, monsieur. J'ai l'ordre de rester sur Aurora. Mais Daneel vous servira aussi bien en mon absence.

— J'en suis certain, Giskard. Il n'empêche que tu vas me manquer.

— Merci, monsieur, dit Giskard, et il battit en retraite aussi rapidement qu'il s'était approché.

Baley le suivit des yeux, en réfléchissant... Mais non, procédons par ordre, se dit-il. Il devait d'abord voir Gladia.

82

Elle s'avança à sa rencontre pour l'accueillir et il pensa que tout avait changé en deux jours. Elle n'était pas joyeuse, elle ne dansait pas, elle n'était pas rayonnante; elle avait toujours la mine grave d'une personne qui a subi un choc et une grande perte... mais l'aura d'inquiétude qui l'avait entourée s'était dissipée. Il émanait d'elle à présent une espèce de sérénité, comme si elle avait compris que la vie continuait malgré tout et qu'elle pourrait même, à l'occasion, être douce.

Ce fut avec un sourire chaleureux et amical qu'elle s'approcha et lui tendit la main.

— Ah, prenez-la, prenez-la, Elijah, dit-elle comme il hésitait. C'est ridicule de vous retenir et de faire semblant que vous ne voulez pas me toucher, après hier soir. Vous voyez, je m'en souviens encore et je ne regrette rien. Bien au contraire.

Baley n'eut pas à se forcer pour lui rendre son sourire.

— Je m'en souviens aussi, Gladia, et je ne regrette rien non plus. J'aimerais même recommencer, mais je suis venu vous faire mes adieux.

La figure de Gladia s'assombrit.

— Ainsi, vous repartez pour la Terre. Pourtant, le réseau de renseignements de robots, qui fonctionne constamment entre l'établissement de Fastolfe et le mien, m'a appris que tout s'est bien passé. Vous ne pouviez absolument pas échouer.

— Je n'ai pas échoué. Le Dr Fastolfe a même remporté une victoire totale. Je crois qu'aucune insinuation ne sera faite selon laquelle il aurait pu d'une façon ou d'une autre être responsable de la mort de Jander.

— A cause de ce que vous avez dit, Elijah ?

— Je crois.

— J'en suis certaine, dit-elle avec une certaine satisfaction. Je savais que vous réussiriez quand je leur ai dit de vous faire venir pour élucider l'affaire... Mais alors, pourquoi êtes-vous renvoyé chez vous ?

— Précisément parce que l'affaire est résolue. Si je restais ici plus longtemps, je serais un élément étranger irritant pour le corps politique, apparemment.

Elle le regarda un moment d'un air sceptique, puis elle dit :

— Je ne comprends pas très bien ce que vous entendez par là. Ce doit être une expression terrienne. Mais peu importe. Avez-vous pu découvrir qui a tué Jander ? C'est ça qui est le plus important.

Baley se tourna de tous côtés. Giskard était dans une niche, un des robots de Gladia dans une autre.

Elle interpréta sans difficulté son regard.

— Voyons, Elijah, vous devez cesser de vous soucier des robots. Vous ne vous inquiétez pas de la présence de ce fauteuil, n'est-ce pas ? Ni de ces rideaux ?

— Vous avez raison... Eh bien... Je suis navré, Gladia, terriblement navré mais j'ai dû leur dire que Jander était votre mari.

Elle ouvrit de grands yeux et il se hâta d'expliquer :

— C'était indispensable. C'était essentiel à l'affaire,

mais je vous promets que cela ne compromettra pas votre situation à Aurora.

Aussi brièvement qu'il le put, il fit un petit résumé de la confrontation et conclut :

— Ainsi, vous voyez, personne n'a tué Jander. L'immobilisation fut le résultat d'une modification accidentelle dans ses circuits positroniques, encore qu'il soit possible que les risques d'accident aient été aggravés par ce qui se passait.

— Et je n'en savais rien, gémit-elle. Dire que je ne me suis jamais doutée de rien ! J'ai été complice de cet odieux projet d'Amadiro... Et c'est lui le responsable, tout autant que s'il avait délibérément cassé Jander à coups de marteau !

— Gladia, protesta Baley, ce n'est pas charitable. Il n'avait aucune intention de lui faire du mal et il agissait, dans son idée, pour le bien d'Aurora. Il est assez puni. Il est vaincu, ses projets sont réduits à néant et l'Institut de Robotique va tomber entre les mains de Fastolfe. En dépit de tous vos efforts, vous n'auriez pu trouver vous-même de châtiment plus approprié.

— J'y réfléchirai... Mais que vais-je faire avec Santirix Gremionis, ce beau jeune valet dont la mission était de m'attirer au-dehors, loin de chez moi ? Pas étonnant qu'il se soit entêté à revenir malgré mes refus répétés. Eh bien, il peut revenir et j'aurai le plaisir de...

Baley secoua vigoureusement la tête.

— Non, Gladia ! Je l'ai interrogé et je vous assure qu'il ne savait absolument pas ce qui se passait. Il était tout aussi abusé que vous. Vous voyez même les choses à l'envers. Il ne persévérait pas parce qu'il était important de vous attirer loin de chez vous; il était utile à Amadiro justement à cause de sa persévérance, et s'il persévérait c'était par estime pour vous. Par amour, si le mot a la même signification à Aurora que sur la Terre.

— A Aurora, c'est de la chorégraphie. Jander était un robot et vous étiez un Terrien. C'est différent, avec les Aurorains.

238

— Vous me l'avez expliqué. Mais, Gladia, grâce à Jander, vous avez appris à recevoir; grâce à moi (sans que je le veuille), vous avez appris à donner. Si cela vous a été bénéfique, il n'est que juste et bon que vous enseigniez à votre tour. Gremionis défie déjà les conventions auroraines en persévérant malgré vos refus. Il continuera de les défier. Vous pouvez lui apprendre à donner et à recevoir, et vous apprendrez à faire les deux par alternance, ensemble, avec lui.

Gladia regarda Baley dans les yeux.

— Elijah, cherchez-vous à vous débarrasser de moi?

Lentement, Baley hocha la tête.

— Oui, Gladia. En ce moment, je ne veux que votre bonheur, plus que je n'ai jamais rien voulu pour moi ou pour la Terre. Je ne peux pas vous apporter le bonheur, mais si Gremionis peut vous le donner, je serai aussi heureux — presque aussi heureux — que si je vous faisais moi-même ce cadeau.

» Gladia, vous verrez, il vous surprendra peut-être par son empressement à renoncer à la chorégraphie, quand vous lui montrerez comment faire. Et la rumeur s'en répandra au point que d'autres viendront se pâmer à vos pieds, et Gremionis jugera peut-être possible d'entraîner d'autres femmes. Il se peut que vous révolutionniez tous deux la sexualité d'Aurora. Vous avez devant vous trois siècles pour y parvenir!

Gladia le dévisagea encore un moment avant d'éclater de rire.

— Vous me taquinez! Vous faites exprès de délirer. Jamais je n'aurais cru cela de vous, Elijah. Vous avez toujours une si longue figure, si grave. Par Josaphat! s'exclama-t-elle en essayant d'imiter la voix de baryton de Baley.

— Je vous taquine peut-être un peu, mais c'est vrai pour l'essentiel. Promettez-moi d'accorder sa chance à Gremionis.

Elle s'avança encore plus près et, sans hésitation, il la prit dans ses bras. Elle lui plaça un doigt sur les lèvres, qu'il embrassa doucement.

— Est-ce que vous ne préféreriez pas m'avoir toute à vous, Elijah ? souffla-t-elle.

Il murmura, tout aussi doucement (et sans plus s'occuper de la présence des robots) :

— Si, j'aimerais mieux, Gladia. J'ai honte d'avouer qu'en ce moment il me serait égal que la Terre tombe en morceaux, si je pouvais vous avoir... mais je ne peux pas. Dans quelques heures, je vais quitter cette planète et il est impossible que vous soyez autorisée à venir avec moi. Pas plus que je ne serai jamais autorisé à revenir à Aurora, ni qu'il sera possible que vous visitiez jamais la Terre.

» Je ne vous reverrai jamais, Gladia, mais jamais je ne vous oublierai. Je mourrai dans quelques dizaines d'années et, à ce moment, vous serez encore aussi jeune que vous l'êtes aujourd'hui. De toute façon, nous serions obligés de nous dire adieu bientôt.

Elle appuya sa tête contre l'épaule de Baley.

— Ah, Elijah, vous êtes venu deux fois dans ma vie, à chaque fois pour quelques heures seulement avant de me dire adieu. La première, je n'ai pu que vous effleurer le visage, mais cela a tout changé. La seconde fois, j'ai fait un peu plus et, de nouveau, tout a changé. Moi non plus, Elijah, je ne vous oublierai jamais, même si je vis pendant plus de siècles que je ne pourrais compter.

— Alors, ne permettez pas que ce souvenir vous prive du bonheur. Acceptez Gremionis, rendez-le heureux et laissez-le vous rendre heureuse. Et, rappelez-vous, rien ne vous empêche de m'écrire. L'hyperposte existe, entre Aurora et la Terre.

— Je vous le promets, Elijah. Et vous me répondrez ?

— Certainement, Gladia.

Un silence tomba et, à contrecœur, ils se séparèrent. Elle resta debout au milieu de la pièce et, quand il arriva sur le seuil et se retourna, elle était toujours là, avec un petit sourire. Les lèvres de Baley formèrent le mot *adieu*. Et comme cet adieu était muet — car il n'aurait pas pu parler —, il ajouta : *mon amour*.

Et les lèvres de Gladia remuèrent aussi de la même façon : *Adieu, mon tendre amour*.

Il fit alors demi-tour et sortit, sachant qu'il ne la reverrait plus jamais sous une forme tangible, qu'il ne la toucherait plus jamais.

83

Il fallut un moment à Elijah pour se résoudre à envisager la tâche qu'il lui restait à accomplir. Il marcha un moment en silence, couvrant à peu près la moitié du chemin, vers l'établissement de Fastolfe, avant de s'arrêter et de lever le bras.

Giskard, toujours observateur, fut à ses côtés en un instant.

— Combien de temps me reste-t-il avant que je doive partir pour le cosmoport, Giskard?

— Trois heures et dix minutes, monsieur.

Baley réfléchit un moment.

— J'aimerais aller jusqu'à cet arbre, là-bas, et m'asseoir le dos contre le tronc, pour y passer quelque temps tout seul. Avec toi, naturellement, mais loin des autres êtres humains.

— Au-dehors, monsieur?

La voix du robot était incapable d'exprimer le choc ou la surprise, mais Baley eut l'impression que si Giskard avait été humain, ses paroles auraient exprimé sa stupéfaction.

— Oui, répondit-il. J'ai besoin de réfléchir et, après hier soir, une journée paisible comme celle-ci, ensoleillée, sans nuages, douce, ne me paraît guère dangereuse. Je rentrerai si je me sens repris par l'agoraphobie, je te le promets. Alors veux-tu me tenir compagnie?

— Oui, monsieur.

— Bien.

Baley partit en tête. Ils arrivèrent à l'arbre et il toucha le tronc avec précaution puis il regarda ses doigts, qui étaient parfaitement propres. Rassuré, certain qu'il ne se salirait pas en s'y adossant, il examina le sol et puis il s'assit avec prudence par terre et appuya son dos contre l'arbre.

C'était beaucoup moins confortable que le dossier d'un fauteuil mais il y avait une sensation de paix (assez curieusement) qu'il n'aurait sans doute pas ressentie à l'intérieur d'une pièce.

Giskard resta debout et Baley demanda :

— Tu ne veux pas t'asseoir aussi ?

— Je suis très bien debout, monsieur.

— Je sais, Giskard, mais je réfléchirai mieux si je ne suis pas obligé de lever les yeux pour te regarder.

— Je ne pourrais pas vous protéger contre un danger possible, si j'étais assis, monsieur.

— Je sais cela aussi, mais il n'y a aucun danger pour le moment. Ma mission est terminée, l'affaire est résolue, le Dr Fastolfe est raffermi dans sa position. Tu peux prendre le risque de t'asseoir et je t'ordonne de t'asseoir avec moi.

Giskard obéit immédiatement. Il s'assit face à Baley mais ses yeux continuèrent de se tourner en tous sens, toujours vigilants.

Baley contempla le ciel à travers le feuillage de l'arbre, le vert sur le fond de bleu, il écouta le murmure des insectes, l'appel soudain d'un oiseau, il remarqua une légère agitation dans l'herbe, signifiant probablement qu'un petit animal passait par là, et il pensa de nouveau que tout était singulièrement paisible, que cette paix était bien différente de la Ville. C'était une paix tranquille, isolée, où l'on ne se pressait pas.

Pour la première fois, il comprit vaguement ce que cela pourrait être de préférer l'Extérieur à la Ville. Il se surprit à être reconnaissant de tout ce qu'il avait connu à Aurora, surtout l'orage. Il savait maintenant qu'il serait capable de quitter la Terre et d'affronter les conditions du nouveau monde où il s'établirait peut-être avec Ben, et peut-être avec Jessie.

— Hier soir, dit-il, dans l'obscurité de l'orage, je me suis demandé si j'aurais pu voir le satellite d'Aurora, sans les nuages. Car il y a un satellite, si je me rappelle bien mes lectures.

— Il y en a deux, monsieur. Le plus grand est Tithonus, mais quand même il est si petit qu'il n'a l'air que d'une étoile modérément brillante. Le plus petit n'est pas visible à l'œil nu et quand on en parle, on l'appelle simplement Tithonus II.

— Merci... Et merci, Giskard, de m'avoir sauvé hier soir, dit Baley en regardant le robot. Je ne sais vraiment pas comment te remercier correctement.

— Ce n'est pas du tout nécessaire de me remercier, monsieur. Je ne fais qu'obéir à la Première Loi. Je n'avais pas le choix en la matière.

— Néanmoins, il se peut que je te doive la vie et il est important que tu saches que je le comprends... Et maintenant, Giskard, qu'est-ce que je devrais faire ?

— A quel sujet, monsieur ?

— Ma mission est terminée. La situation et le point de vue du Dr Fastolfe sont assurés. L'avenir de la Terre aussi. Il me semble que je n'ai plus rien à faire et, pourtant, il reste la question de Jander.

— Je ne comprends pas, monsieur.

— Eh bien, il semble établi qu'il est mort d'une modification accidentelle d'un potentiel positronique dans son cerveau, mais Fastolfe reconnaît que les chances de cela sont infinitésimales. Même avec les activités d'Amadiro, ce hasard — tout en étant plus grand — reste microscopique. Du moins, c'est ce que pense Fastolfe. Au contraire, il me semble, à moi, que la mort de Jander était un roboticide prémédité. Mais je n'ose pas soulever cette question maintenant. Je ne veux pas compromettre ce qui est arrivé à une conclusion si satisfaisante. Je ne veux pas remettre Fastolfe dans l'embarras, peut-être en danger. Je ne veux pas rendre

Gladia malheureuse. Je ne sais que faire. Je ne peux pas en parler à un être humain, alors je t'en parle à toi, Giskard.

— Oui, monsieur.

— Je pourrai toujours t'ordonner d'effacer ce que j'ai dit et de ne plus t'en souvenir.

— Oui, monsieur.

— A ton avis, qu'est-ce que je dois faire?

— S'il y a eu un roboticide, monsieur, il doit y avoir quelqu'un capable de le commettre. Seul le Dr Fastolfe est capable de le commettre et il dit qu'il n'a rien fait de cela.

— Oui, c'est notre situation de départ et je crois le Dr Fastolfe, je suis tout à fait certain qu'il ne l'a pas fait.

— Alors comment pourrait-il y avoir eu roboticide, monsieur?

— Suppose que quelqu'un d'autre en sache autant sur les robots que le Dr Fastolfe, Giskard.

Baley plia les jambes, croisa les mains autour de ses genoux, et sans regarder Giskard, il parut se perdre dans ses pensées.

— Qui cela pourrait-il être, Giskard?

Et, enfin, Baley en arriva au point crucial:

— Toi, Giskard.

84

Si Giskard avait été humain, il aurait ouvert des yeux ronds, sans doute; il serait resté silencieux et comme assommé; ou il aurait pu s'emporter; ou reculer avec terreur, ou encore avoir toute une diversité de réactions. Comme c'était un robot, il ne manifesta aucune émotion, pas la moindre, et demanda simplement:

— Pourquoi dites-vous cela, monsieur?

— Je suis tout à fait certain, Giskard, que tu sais exactement comment je suis arrivé à cette conclusion, mais tu me rendrais service si tu me permettais, en ce lieu paisible, durant ce peu de temps qui me reste avant de partir, d'expliquer l'affaire pour ma propre satisfaction. J'aimerais m'entendre en parler. Et j'aimerais que tu me corriges quand je me trompe.

— Certainement, monsieur.

— Je pense que mon erreur initiale a été de supposer que tu étais un robot moins complexe et plus primitif que Daneel, simplement parce que tu as l'air moins humain. L'être humain croira toujours que plus le robot paraît humain, plus il est avancé, complexe et intelligent. Il est évident qu'un robot comme toi est plus facile à créer et à construire que Daneel et que le robot humaniforme est un grand problème pour des hommes comme Amadiro; ce genre de robot ne saurait être fabriqué et dirigé que par un génie de la robotique comme Fastolfe. Cependant, la difficulté de création de Daneel, je pense, consiste à reproduire tous les aspects humains, tels que les expressions du visage, l'intonation de la voix, les gestes et mouvements, ce qui est extraordinairement compliqué mais n'a rien à voir avec la complexité du cerveau. Ai-je raison?

— Tout à fait raison, monsieur.

— Donc, je t'ai automatiquement sous-estimé, comme le fait tout le monde. Cependant, tu t'es trahi quand nous avons atterri sur Aurora. Tu te souviens peut-être qu'au cours de l'atterrissage, j'ai succombé à une crise d'agoraphobie, j'ai été pris de convulsions et, pendant un moment, j'étais encore plus inconscient qu'hier soir pendant l'orage.

— Je me souviens, monsieur.

— A ce moment-là, Daneel était avec moi dans la cabine, alors que tu étais dehors, devant la porte. J'ai sombré dans une sorte d'état cataleptique, sans bruit, et peut-être Daneel ne me regardait-il pas et n'en a donc rien su. Tu étais hors de la cabine et pourtant c'est toi qui t'es précipité et qui as éteint l'astrosimulateur que je tenais. Tu es arrivé le premier, avant Daneel, bien qu'il ait des réflexes aussi rapides que les tiens, j'en suis sûr... comme il l'a d'ailleurs démontré quand il a empêché le Dr Fastolfe de me frapper.

— Voyons, monsieur, il n'est pas possible que le Dr Fastolfe ait voulu vous frapper !

— Non, il mettait simplement à l'épreuve les réflexes de Daneel... Et pourtant, comme je disais, c'est toi qui es arrivé avant, dans la cabine. Je n'étais guère en état de le remarquer mais j'ai été entraîné à tout observer et même la terreur agoraphobique ne me prive pas totalement de toutes mes facultés, comme je l'ai prouvé hier soir. J'ai bien remarqué que tu t'es précipité le premier, mais ensuite je l'ai oublié. Il n'y a à cela, naturellement, qu'une seule explication logique.

Baley s'interrompit, comme s'il attendait un accord de Giskard, mais le robot ne dit rien.

(Dans les années à venir, quand Baley songerait à son séjour à Aurora, c'était ce qu'il se rappellerait en premier. Pas l'orage. Pas même Gladia. C'était ce petit intermède paisible sous l'arbre, les feuilles vertes sur le bleu du ciel, la brise légère, le doux murmure des insectes et des animaux, et Giskard en face de lui avec des yeux légèrement lumineux.)

— Il semble donc, reprit-il, que tu aies pu, je ne sais comment, te rendre compte de mon état d'esprit. Même à travers la porte fermée tu aurais compris que j'avais une crise. Ou, pour parler plus brièvement et plus simplement, il semble que tu saches lire dans la pensée.

— Oui, monsieur, dit tranquillement Giskard.

— Et que tu puisses aussi, d'une certaine façon, influencer les pensées. Je crois que tu as su que je l'avais détecté et que tu l'as effacé dans mon cerveau, pour que je ne m'en souvienne pas, ou tout au moins que je n'en comprenne pas le sens si jamais je me rappelais vaguement la situation. Mais tu n'as pas entièrement réussi, peut-être parce que tes pouvoirs sont limités...

— Monsieur, la Première Loi passe avant tout. Je devais me porter à votre secours, bien que je fusse conscient que cela me trahissait. Et je devais vous brouiller au minimum la mémoire, de manière à ne causer aucun dommage à votre cerveau.

— Oui, je vois que tu as eu des difficultés. Brouiller au minimum... si bien que je me le rappelais quand mon esprit était suffisamment détendu et pouvait penser de lui-même, par libre association d'idées. Juste avant de perdre connaissance sous l'orage, j'ai su que tu arriverais avant les autres, le premier, comme à bord du vaisseau. Peut-être m'as-tu trouvé grâce à la radiation infrarouge mais tous les mammifères et les oiseaux dégagent des radiations aussi, et cela aurait pu t'égarer... Mais tu pouvais aussi détecter l'activité mentale, même si j'étais inconscient, ce qui allait t'aider à me retrouver.

— Cela m'a certainement aidé, reconnut Giskard.

— Quand je m'en souvenais, au bord du sommeil ou de l'inconscience, j'oubliais de nouveau dès que j'étais pleinement conscient. Hier soir, cependant, je me le suis rappelé pour la troisième fois et je n'étais pas seul. Gladia était avec moi et elle a pu me répéter ce que j'avais dit : « Il était là avant. » Et même alors, j'ai été incapable de me rappeler la signification, jusqu'à ce qu'une réflexion du Dr Fastolfe déclenche par hasard un processus de pensée qui a cheminé en forçant sa progression dans le brouillage mental. Quand j'ai enfin compris, je me suis rappelé d'autres incidents. Ainsi, alors que je me demandais si nous allions réellement atterrir sur Aurora, tu m'as assuré que c'était bien notre destination, avant même que je te le demande... Je présume que tu tiens à ce que personne ne connaisse tes facultés télépathiques ?

— C'est exact, monsieur.

— Pourquoi ?

— Ma télépathie me donne une facilité unique pour obéir à la Première Loi, monsieur, son existence m'est donc précieuse. Je peux éviter qu'il arrive une mésaventure à un être humain, plus rapidement et bien plus efficacement. Il me semble cependant que le Dr Fastolfe, ni d'ailleurs aucun autre être humain, ne tolérerait longtemps un robot télépathe, alors je garde le secret de cette faculté. Le Dr Fastolfe adore raconter la légende du robot qui lisait dans les pensées et qui a été détruit par Susan Calvin, et je ne voudrais pas qu'il imite le geste du Dr Calvin.

— Oui, il m'a raconté la légende. Je le soupçonne de savoir, subconsciemment, que tu lis dans les pensées, sinon il n'insisterait pas tant sur cette fameuse légende. Et dans ton cas, il a tort de faire ça, c'est dangereux, me semble-t-il. Elle a indiscutablement contribué à m'ouvrir les yeux.

— Je fais ce que je peux pour neutraliser le danger, sans vraiment manipuler le cerveau du Dr Fastolfe. Invariablement, il souligne la nature impossible et légendaire de cette histoire, quand il la raconte.

— Oui, je m'en souviens aussi. Mais si Fastolfe ne sait pas que tu lis dans les pensées, c'est probablement que tu n'as pas été initialement conçu avec cette faculté. Alors comment se fait-il que tu possèdes ce pouvoir? Non, ne me le dis pas, Giskard. Laisse-moi hasarder une hypothèse. Miss Vasilia t'aimait beaucoup, tu la fascinais particulièrement quand elle était jeune fille et commençait à s'intéresser à la robotique. Elle m'a dit qu'elle s'était livrée à des expériences, en te programmant sous la surveillance, lointaine, de Fastolfe. Est-il possible qu'une fois, tout à fait accidentellement, elle ait fait quelque chose qui t'a donné ce pouvoir? Est-ce que c'est ça?

— C'est bien ça, monsieur.

— Et sais-tu ce qu'elle a fait alors?

— Oui, monsieur.

— Es-tu le seul robot télépathe qui existe?

— Jusqu'à présent, oui, monsieur. Il y en aura d'autres.

— Si je te demandais ce que le Dr Vasilia a fait pour te donner une telle faculté, ou si le Dr Fastolfe te le demandait, est-ce que tu nous le dirais en vertu de la Deuxième Loi?

— Non, monsieur, car je juge que cela vous ferait du mal de le savoir et mon refus de vous le dire tomberait sous le coup de la Première Loi, qui est prioritaire. Mais le problème ne se posera pas, car je saurai quand une personne va poser la question et donner l'ordre, alors je retirerai de son cerveau le désir de le faire, avant qu'elle puisse formuler son ordre.

— Oui, murmura Baley. Avant-hier soir, alors que nous revenions chez Fastolfe, j'ai demandé à Daneel s'il avait été en contact avec Jander, lors du séjour de ce dernier chez Gladia, et il m'a répondu non très simplement. Je me suis alors tourné vers toi pour te poser la même question mais, je ne sais comment, je ne l'ai pas posée. Tu m'as ôté l'envie de le faire, si je comprends bien?

— Oui, monsieur.

— Parce que si je te l'avais posée, tu aurais dû répondre que tu l'avais bien connu à ce moment et tu ne voulais pas que je le sache.

— En effet, monsieur.

— Mais au cours de cette période de contacts avec Jander, tu savais qu'il était examiné par Amadiro parce que, je présume, tu pouvais lire dans le cerveau de Jander, ou détecter ses potentiels positroniques...

— Oui, monsieur, la même faculté fonctionne avec le cerveau robotique, tout comme avec l'activité mentale humaine. Les robots sont beaucoup plus faciles à comprendre.

— Tu réprouvais les activités d'Amadiro, parce que tu es d'accord avec Fastolfe sur la colonisation de la Galaxie?

— Oui, monsieur.

— Et pourquoi n'as-tu pas empêché Amadiro d'agir? Pourquoi n'as-tu pas retiré de son esprit l'envie de sonder Jander?

— Monsieur, répondit Giskard, je ne manipule pas légèrement les cerveaux. La résolution d'Amadiro était si profondément ancrée et complexe que j'aurais dû beaucoup manipuler, et son cerveau est si intelligent, si avancé, que je ne voulais pas l'endommager. J'ai laissé aller les choses pendant un long moment, tout en me demandant quelle serait la meilleure solution pour me permettre d'obéir aux impératifs de la Première Loi. Finalement, j'ai pris ma décision, et j'ai trouvé la façon de remédier à la situation. Ce n'a pas été une décision facile à prendre.

— Tu as décidé d'immobiliser Jander avant qu'Amadiro arrive à percer le secret de la conception et de la fabrication d'un robot totalement humaniforme. Tu savais comment t'y prendre puisque tu avais, au fil des années, parfaitement assimilé la théorie de Fastolfe en lisant dans son esprit. C'est bien ça ?

— Exactement, monsieur.

— Donc, Fastolfe n'était pas le seul, après tout, à être assez expert pour immobiliser Jander.

— Dans un sens, il l'est, monsieur. Mes propres capacités ne sont que le reflet des siennes, ou leur extension.

— Mais elles suffisent. Tu n'as pas vu que ce blocage allait mettre Fastolfe en grand danger ? Qu'il serait le suspect numéro un ? Est-ce que tu avais l'intention d'avouer ton acte et de révéler tes capacités, si cela avait été nécessaire pour le sauver ?

— Je voyais très bien que le Dr Fastolfe se trouverait dans une situation douloureuse, mais je n'avais pas du tout l'intention d'avouer ma culpabilité. J'espérais mettre à profit la situation pour vous faire venir à Aurora.

— Me faire venir, ici ? Moi ? C'était *ton* idée ? s'exclama Baley avec stupeur.

— Oui, monsieur. Avec votre permission, j'aimerais vous l'expliquer.

— Ah oui, je t'en prie !

— Je vous connaissais grâce à Miss Gladia et au Dr Fastolfe; non seulement par ce qu'ils disaient de vous, mais par ce qu'ils pensaient. J'ai ainsi appris la situation sur la Terre. Les Terriens, c'était évident, vivent entre des murs dont ils ont du mal à s'échapper, mais il était tout aussi évident pour moi que les Aurorains aussi vivent entre des murs.

» Les Aurorains vivent derrière des murs de robots, qui les abritent de toutes les vicissitudes de la vie et qui, selon les plans d'Amadiro, construiraient aussi des sociétés abritées pour y enfermer les Aurorains venus s'établir dans de nouveaux mondes. Les Aurorains vivent aussi derrière des murs faits de leur extrême longévité, qui les contraint à attacher un trop grand prix à l'individualité et les empêche de mettre en commun leurs ressources scientifiques. Ils ne se livrent pas non plus aux mêlées et aux corps à corps de la controverse mais, par l'intermédiaire de leur Président, ils exigent de court-circuiter toute incertitude, ils veulent que les solutions aux problèmes soient trouvées avant que ces problèmes soient présentés officiellement. Ça ne les intéresse pas de chercher eux-mêmes les meilleures solutions, ils ne veulent pas s'en donner la peine. Ce qu'ils veulent, c'est des solutions *tranquilles*.

» Les murs des Terriens sont réels et épais, si bien que leur existence est évidente et contraignante et il y a toujours des gens qui rêvent d'y échapper. Les murs des Aurorains sont immatériels et invisibles, et par conséquent personne ne peut concevoir une évasion. Il m'a donc semblé que ce devait être aux Terriens, et non aux Aurorains — ou aux autres Spatiens — de coloniser la Galaxie et de fonder ce qui deviendra un jour l'Empire galactique.

» Tout cela, c'était le raisonnement du Dr Fastolfe et j'étais d'accord avec lui. Mais le Dr Fastolfe, lui, se contentait du raisonnement tandis que moi, étant donné mes facultés, je ne le pouvais pas. Je devais examiner directement le cerveau d'au moins un Terrien, afin de vérifier mes conclusions, et vous étiez le Terrien que je pensais pouvoir faire venir à Aurora. L'immobilisation de Jander a donc servi à la fois à mettre fin aux agissements d'Amadiro et à assurer votre visite. J'ai très légèrement poussé Miss Gladia pour qu'elle suggère au Dr Fastolfe de vous convoquer; puis je l'ai poussé, lui, très légèrement, pour qu'il suggère cela à son tour au Président; et j'ai poussé le Président, très légèrement, pour qu'il donne son accord. Et quand vous êtes arrivé, je vous ai étudié et ce que j'ai découvert m'a plu.

Giskard se tut et redevint robotiquement impassible. Baley fronça les sourcils.

— On dirait que je ne mérite aucune félicitation pour ce que j'ai fait ici. Tu as dû faire en sorte que je découvre la vérité!

— Non, monsieur. Au contraire. J'ai placé des obstacles sur votre chemin... raisonnables, bien entendu. J'ai refusé de vous laisser reconnaître mes facultés, alors même que j'étais forcé de me trahir. Je vous ai encouragé à vous aventurer à l'Extérieur, afin d'étudier vos réactions. Je me suis assuré que vous passiez par des moments de découragement et de détresse. Et pourtant, vous avez réussi à aller de l'avant et à surmonter tous ces obstacles, et j'en ai été très content.

» J'ai découvert que vous regrettiez les murs de votre Ville mais que vous reconnaissiez que vous deviez apprendre à vous en passer. J'ai découvert que vous souffriez de la vue d'Aurora, de l'espace, et de votre exposition à l'orage, mais que rien de tout cela ne vous empêchait de réfléchir ni ne vous détournait de votre problème. J'ai découvert que vous acceptiez vos défauts et votre vie brève, et que vous n'éludiez pas la controverse.

— Et comment sais-tu si je suis un bon représentant des Terriens en général?

— Je sais que vous ne l'êtes pas. Mais dans votre esprit, je vois qu'il y en a d'autres comme vous et qu'avec ceux-là nous construirons. J'y veillerai... et maintenant que je connais clairement le chemin qu'il faut suivre, je préparerai d'autres robots comme moi, et ils y veilleront aussi.

Alarmé, Baley s'exclama :

— Tu veux dire que des robots télépathes vont venir sur la Terre?

— Non, pas du tout. Et vous avez raison d'en avoir peur. L'emploi direct de robots ne servirait qu'à élever ces mêmes murs qui sont la condamnation d'Aurora et des mondes spatiens, et les paralysent. Les Terriens devront s'établir dans la Galaxie sans robots d'aucune sorte. Cela signifiera des dangers, des difficultés, des malheurs et des maux imprévisibles, des événements que les robots s'attacheraient à empêcher s'ils étaient présents; mais, à la longue, à la fin, les êtres humains bénéficieront d'avoir travaillé par eux-mêmes et peut-être un jour — un jour lointain dans l'avenir — les robots pourront de nouveau intervenir. Qui peut le dire?

Baley demanda, avec curiosité :

— Peux-tu voir l'avenir?

— Non, monsieur, mais en étudiant les esprits comme je le fais, je peux deviner vaguement qu'il existe des lois gouvernant le comportement humain, comme les Trois Lois de la Robotique gouvernent le comportement des robots, et grâce à elles, il se peut que l'avenir soit affronté avec succès, d'une façon ou d'une autre... un jour. Les lois humaines sont infiniment plus compliquées que celles de la Robotique, et je ne sais pas comment elles sont organisées. Elles peuvent être de nature statistique, ou bien ne pas porter de fruits sauf en cas d'énormes populations. Elles peuvent être si peu contraignantes qu'elles n'ont guère de sens, à moins que ces énormes populations ignorent le fonctionnement de ces lois.

— Dis-moi, Giskard, est-ce cela que le Dr Fastolfe appelle la future science de la « psycho-histoire »?

— Oui, monsieur. J'ai doucement glissé cela dans son cerveau afin que le processus puisse commencer. Cette science sera nécessaire un jour, maintenant que l'existence des mondes spatiens, en tant que civilisation robotisée où règne une extraordinaire longévité, touche à sa fin et que va commencer une nouvelle vague d'expansion humaine avec des Terriens à la vie courte et sans robots.

» Et maintenant, dit Giskard en se levant, je crois, monsieur, que nous devons rentrer à l'établissement du Dr Fastolfe et préparer votre départ. Tout ce que nous avons dit ici ne sera pas répété, naturellement.

— Cela restera strictement confidentiel, je peux te le promettre, dit Baley.

— Certainement, répondit calmement Giskard. Mais vous n'avez pas à craindre la responsabilité de devoir garder le silence. Je vous permettrai de vous en souvenir, mais jamais vous n'aurez aucune envie d'en parler, pas la moindre.

Baley haussa les sourcils et poussa un petit soupir résigné.

— Un dernier mot, Giskard, avant que tu ne me dévoiles plus rien. Veux-tu veiller à ce que Gladia ne soit pas troublée, sur cette planète, à ce qu'elle ne soit pas maltraitée parce qu'elle est solarienne et qu'elle a accepté un robot pour mari, et... Et t'arrangeras-tu pour qu'elle accepte les offres de Gremionis ?

— J'ai entendu votre dernière conversation avec Miss Gladia, monsieur, et je comprends. Je m'en occuperai. Et maintenant, monsieur, puis-je vous faire mes adieux ici, alors que personne ne nous observe ?

Giskard tendit la main et ce fut le geste le plus humain que Baley lui ait jamais vu faire.

Baley la prit. Les doigts étaient durs et froids.

— Adieu... Ami Giskard.

— Adieu, Ami Elijah, répondit Giskard, et souvenez-vous que si les gens d'ici appliquent ces mots à Aurora, c'est désormais la Terre elle-même qui est le véritable Monde de l'Aube.

Achevé d'imprimer sur les presses de l'imprimerie Brodard et Taupin
7, Bd Romain-Rolland, Montrouge. Usine de La Flèche,
le 15 février 1984
1854-5 Dépôt Légal février 1984. ISBN : 2 - 277 - 21603 - 8
Imprimé en France

Editions J'ai Lu
27, rue Cassette, 75006 Paris
diffusion France et étranger : Flammarion